BARNUM

PIERRE BRUNET

BARNUM

roman

calmann-lévy

© Calmann-Lévy, 2006

ISBN 2-7021-3640-0

À celle qui est restée à mes côtés
tout au long de ce travail,
et qui m'a donné la force de l'achever.

« La souffrance des autres est supportable. »

Proverbe rwandais

I
GIKONGORO, RWANDA

L'adolescent les arrêta de la main quelques kilomètres après Butare, où ils avaient dormi chez Médecins Sans Frontières Belgique. À la lumière fraîche du matin, sa peau leur apparut plissée, parcheminée, couverte de vermine, luisante de crasse, collée au squelette comme l'écorce même des os.

Ses yeux presque fixes, agrandis par la maigreur extrême et ratatinée du visage, donnaient à son regard une acuité gênante. Les deux Français, en s'arrêtant à sa hauteur, eurent le sentiment d'être examinés par le zoom silencieux d'une caméra de surveillance.

Croyant que le garçon, qui semblait sur le point de s'écrouler et mourir, voulait qu'ils l'emmènent en voiture jusqu'à sa destination, le conducteur ouvrit la portière pour aller baisser la ridelle du plateau arrière. Ils évitaient, dans la mesure du possible, de faire monter des vagabonds sur la banquette de la cabine. Il restait toujours, après, une odeur de chien crevé qui ne disparaissait jamais tout à fait.

Mais l'adolescent commença à parler, en français comme beaucoup de Rwandais pouvaient le faire, avec cette manière désuète, usant de tournures choisies. Il leur demanda : « Auriez-vous à votre disposition un appareil photographique ? Je serais votre obligé si vous aviez l'amabilité de prendre ma photo. Ainsi, le monde pourrait savoir que j'ai existé. »

Le garçon ne bougea pas quand le conducteur le cadra dans l'objectif de l'appareil. Il fixa quelque chose loin derrière les Français et leur voiture. Pendant quelques minutes, le conducteur et le passager le questionnèrent doucement, avec précision, comme ils avaient appris à le faire en travaillant dans les camps de déplacés. Le garçon s'appelait Simon. Il venait de Kigali. Il avait marché de Kigali à Butare, poussé comme des centaines de milliers d'autres Hutus par l'avancée du FPR[1]. Lui-même n'avait pas tué de Tutsis, mais il n'avait pas oublié comment son père avait assassiné une vieille voisine chez qui il s'était souvent arrêté, enfant, pour boire de l'eau et bavarder en rentrant de l'école. Quand son père lui avait dit qu'il devait venir avec lui pour l'aider à tuer les *Inyenzi*[2], il s'était enfui de la maison. Il savait qu'il ne pourrait pas faire comme son père avait fait avec la vieille Tutsie, et il avait peur de lui, désormais. Quand il était arrivé à Butare, les tueries n'étaient pas terminées, et il s'était caché dans la forêt. Il y avait aussi des Tutsis qui avaient essayé de se cacher dans la forêt, mais ils étaient presque tous morts. Quand les groupes de tueurs s'approchaient de l'endroit où il se trouvait, il allait vers eux en criant que les Batutsis[3] avaient essayé de le couper, et les tueurs riaient et lui répondaient qu'ils venaient pour couper tous les Batutsis et qu'il pouvait retourner dans la ville. Alors il repartait se cacher ailleurs. Il courait peu de risques

1. Front patriotique rwandais, mouvement essentiellement tutsi.
2. « Cancrelats ».
3. En kyniarwanda, le pluriel s'exprime par le préfixe « ba ».

en allant ainsi au-devant des assassins. La nuance physique entre les deux ethnies, les Tutsis plutôt fins et élancés, les Hutus plutôt courts et ramassés, le rangeait au premier coup d'œil du bon côté du manche des machettes. Il n'avait mangé que des feuilles et des racines et il était malade. Il avait entendu dire qu'il y avait des camps où les Hutus chassés par le FPR se rassemblaient et il espérait pouvoir arriver dans l'un de ces camps, s'allonger sous un abri avec un peu d'eau à côté de lui, et mourir doucement en entendant la rumeur des vivants.

Les deux Français le regardèrent sans rien dire, en hochant la tête comme s'ils comprenaient. Le soleil commençait à chauffer, et la puanteur qui émanait du garçon se fit écœurante. La photo sortit de l'appareil avec un petit bruit d'aile froissée. Le conducteur, qui s'appelait Antoine, la tendit au garçon en lui demandant s'il voulait la garder. Le garçon la prit, la regarda comme pour vérifier quelque chose, un détail précis, puis la rendit à Antoine. « Moi, je vois que je vais mourir et je n'ai plus de famille, raison pour laquelle je voudrais que la photo soit regardée par beaucoup de gens. De cette façon, il y aura des gens dans le monde qui sauront que j'ai existé. » Antoine reprit la photo. À l'endroit où le garçon l'avait tenue, il y avait une marque, comme si du cambouis avait imprégné le papier.

Le passager du pick-up, qui s'appelait Olivier, proposa de nouveau au garçon de le faire monter sur le plateau arrière et de l'emmener au camp le plus proche. L'adolescent sembla, pendant quelques secondes, ne pas avoir entendu. Il regardait la route, fixant le point le plus éloigné où un virage la faisait disparaître, comme absorbée par la végétation dense, si verte. Il se trouve autant de nuances de vert au Rwanda que de larmes : vert amande ou vert anis des champs, vert anglais, vert bouteille et vert absinthe des forêts, vert céladon du bush à l'est, vert printemps des rives du lac Kivu, vert prairie des terres en friche, vert malachite, olive ou pistache des plantations de thé en terrasses, vert-de-gris des camps de déplacés et des faubourgs des villes, vert kaki des hommes en armes.

« Je vous remercie beaucoup de votre bon cœur, mais je vais finir la force de mes jambes. Quand je m'allongerai, ainsi, je serai bien soulagé et le Bon Dieu aura pitié de moi et me fera mourir dans la communion des saints », répondit Simon, puis il oscilla un peu sur lui-même pour relancer son corps en avant, dans le mouvement de la marche, reprenant sa route. Les deux Français le regardèrent s'éloigner. Antoine tendit son visage vers le soleil qui montait. Remontant dans le pick-up, puis dépassant le garçon maintenant indifférent, ils poursuivirent vers Gikongoro. Le Polaroïd sécha rapidement, tenu dans le vent, à travers la vitre ouverte, par Antoine.

La radio HF du véhicule grésillait. Quelques kilomètres avant d'atteindre Gikongoro, ils croisèrent plusieurs voitures grossièrement camouflées avec de la peinture verte et marron. Les Rwandais les appelaient les voitures « tache-tache ». Depuis que les parachutistes français de l'opération Turquoise avaient plié bagage, quelques jours auparavant, les véhicules du FPR chargés de soldats silencieux, longs Tutsis sombres coiffés de bérets noirs ou de n'importe quoi, armés de Kalachs aux chargeurs doublés au gros Scotch, se faisaient de plus en plus familiers sur les routes. La nuit, ils commençaient à installer, au hasard, des check-points sauvages. Certains des visages qui les regardaient au passage n'étaient que des visages de gosses dans des treillis trop grands. Antoine et Olivier se demandèrent, au même moment, sans le savoir et sans se le dire, ce qui allait se passer quand les voitures « tache-tache » allaient croiser Simon. Probablement rien. Les soldats du FPR se contentaient, le plus souvent, d'inspirer la peur aux Hutus qui avaient cru pouvoir les fuir. Mais peut-être aussi allaient-ils s'arrêter à sa hauteur, et l'un des adolescents silencieux lâcherait-il une rafale sur un autre adolescent déjà presque mort. Ils étaient disciplinés, ces soldats sombres, impressionnants de discipline, même. Mais certains avaient déjà vu trop de morts, et l'on commençait à entendre de ces rafales isolées, dans les collines, parfois.

Ils atteignirent les faubourgs sud de Gikongoro. Gikongoro était une préfecture sans beauté, posée au milieu du vert, faite de bâtiments modernes, de baraques et de quelques demeures remarquables. La route nationale, agrémentée de plusieurs carrefours et ronds-points surdimensionnés, serpentait à travers les différents quartiers, contigus mais déconnectés. Ce qui s'était passé ici avait vitrifié les gens et la vie, qui ne ressuscitait qu'aux jours de marché. À part les enfants, on n'y entendait aucun rire.

Dans la ville, la base de l'ONG Intervention Directe était une vaste et belle maison au toit de tuiles presque provençal, où le bureau et les chambres de l'équipe étaient installés. Devant la maison, un auvent et une longue cour close, où étaient garés les camions, se terminaient sur un portail à deux battants. Le tout avait dû être la propriété d'un riche notable. Quand ils y arrivèrent, la plupart des camions, et donc des chauffeurs, étaient déjà partis charger à l'entrepôt. Ils devaient ensuite emmener leur cargaison de haricots, de sorgho ou de riz dans les camps qui dépendaient d'Intervention Directe. Les pistes défoncées, caillouteuses, rocheuses, gorgées de pluie et de boue, étaient jalonnées de fondrières, de dévers et de ponts de bois qui se désolidarisaient, se brisaient ou offraient aux pneus des camions le plus diabolique des pièges : les roues avant roulaient un peu, puis l'un des pneus glissait sur l'un des troncs trop humide, trop lisse ou trop fragile, s'enfonçait et se coinçait, faisant basculer et pencher le camion vers l'avant et le côté. Avec de la chance, le camion ne tombait pas dans le ravin qui longeait le plus souvent la piste, car la plupart des camps étaient installés, par réflexe de sécurité des déplacés, au plus haut des plus hautes collines. Il restait alors à faire monter un autre camion pour treuiller le premier, tout doucement, avec mille précautions, sans à-coup ni force excessive.

Mais ce matin, aucun n'avait encore pris la route. Léa était seule et tranquille devant son bureau, où les radios HF et VHF ne lui transmettaient encore aucun appel à l'aide, où les cartes d'état-major de la zone, laissées par les soldats français de l'opération Turquoise, étaient épinglées au mur, avec les punaises rouges qui marquaient les camps de déplacés à approvisionner, les quelques routes asphaltées stabilotées de bleu, les pistes marquées de jaune et les pistes qu'on n'aurait pas dû appeler des pistes soulignées de rouge. Elle buvait un café en corrigeant les affectations, cargaisons et destinations sur le tableau des distributions du jour, qu'elle avait décroché pour le poser sur une chaise à côté de la sienne. La radiocassette de l'équipe qui était restée sur une table basse du salon où chacun venait prendre son café du matin n'avait pas été éteinte. On entendait en sourdine les Dire Straits. Ses cheveux noirs de Méditerranéenne étaient rassemblés et tenus par un élastique bleu. Ses yeux aussi étaient bleus. Bleu très clair, sur une peau claire. Elle leva vers les deux arrivants son visage réservé et déterminé à la fois, où le regard et les lèvres avaient la même franchise de femme à qui l'on n'ose pas mentir, sauf à être immédiatement percé à jour. Elle était belle, d'une beauté grave qui inspirait le respect sans contredire le désir. Les deux hommes se penchèrent pour l'embrasser. Les hommes avaient envie d'elle, et elle le savait. Ils prirent un café à ses côtés, en bavardant. Ils lui racontèrent qu'ils avaient croisé ce garçon, Simon, qui voulait absolument être pris en photo et continuer à marcher jusqu'à épuisement. Antoine lui montra le Polaroïd, et elle l'agrafa sur le côté du mur, après l'avoir regardé un moment sans rien dire. Antoine devinait la courbe des seins sous le tee-shirt et le galbe des cuisses sous le jean délavé. Quel volume de frissons nos tissus peuvent-ils absorber sans lésion ? Antoine l'ignorait. Il disposait par chance d'une constitution solide et vigoureuse – celle d'un rocker irlandais, lui avait-on dit un jour – et sa peau claire bronzait bien mieux qu'on pouvait s'y attendre. En débarquant dans ce pays, il avait ressenti jusqu'à la moelle la cruauté qui n'y avait laissé personne innocent. Rassasié d'abjection, il s'accrochait à chaque brûlure du désir pour échapper à un fonctionnement froid qui le mènerait à la folie. Souvent, il éjaculait dans son sommeil. Après, il se rendormait plus profondément. Antoine lutta pour chasser l'envie de rester là et de saisir l'occasion de prendre Léa par la taille. Il avait du boulot, et Olivier aussi, d'ailleurs. Ils avaient dû aller à Butare pour amener ce chef de camp, Grégoire, à l'hôpital. Grégoire avait essayé d'empêcher, deux nuits plus tôt, le pillage par un groupe, probablement des déplacés de son camp ou d'un camp voisin qui n'avaient pas pu résister à la tentation, d'une partie du stock tampon mis à sa disposition. Un sac de riz, de sorgho ou de haricots valait très cher, ces jours-ci, et tant d'hommes se trouvaient maintenant dans les camps, qui avaient tué, quelques semaines auparavant, leurs voisins de village ou de quartier, comme ça. Tuer pour un sac de riz ne leur posait pas de problème. Antoine et Olivier avaient trouvé Grégoire la veille au matin, le crâne fendu d'un coup de machette. Dans la blessure impeccable qui avait ouvert la boîte crânienne comme une pastèque, on pouvait voir la cervelle qui se soulevait légèrement à chaque battement du sang dans les vaisseaux. Grégoire les avait regardés. Il était conscient, allongé sur la natte de son « blindé[1] ». Ses vêtements, sa natte et aussi le sol étaient imprégnés de sang. Mais tout le sang qui avait coulé de sa tête ne l'avait pas éteint pour autant. Il n'avait pas l'air d'avoir mal. Il semblait juste profondément déçu, déprimé même, par ce qu'on lui avait fait. Avec l'aide d'autres déplacés, ils l'avaient allongé dans le pick-up et emmené à l'hôpital de Butare, où MSF Belgique avait installé une équipe. Il y avait tellement de blessés dans cet hôpital qu'ils avaient eu du mal à trouver un matelas libre. En aidant à pousser la civière où Grégoire avait été étendu, ils suffoquaient presque, assaillis par l'odeur lourde de fruits pourris qui suintait des plaies et des mutilations. Chacun des lits offrait au regard un échantillon de dépeçage humain inachevé.

Grégoire s'en tirerait, mais maintenant il fallait faire élire un nouveau chef de camp, si possible pas parmi ceux qui avaient ouvert le crâne du précédent, et trouver une

---

1. Hutte de branchages, souvent recouverte d'une bâche plastique, abritant les déplacés dans les camps.

solution pour le stock tampon et la prochaine distribution. Le problème du site de M'Buga, c'était qu'il était facilement accessible, étant installé à quelques centaines de mètres d'une des rares routes asphaltées. C'était pratique pour les camions, mais aussi pour les crapules.

Antoine réfléchissait. Il regardait un insecte courir sur les cartes d'état-major épinglées au mur. Une sorte de cancrelat africain, assez gros. L'insecte descendait, doucement, vers la photo de Simon. Dans un film d'auteur asiatique, on aurait eu à cet instant un zoom de la caméra. Le cadre aurait capturé le cancrelat dans une posture d'étrange recueillement sur l'image du juste. Mais la scène se déroulait hors champ, au Rwanda, où l'ironie et toute forme d'esthétisme étaient du nombre des morts.

« Il faut qu'on descende au garage. On a un plein à faire, et Blaise attend sa pièce. »

Olivier s'était levé. Ils prirent congé de Léa. Un premier chauffeur – ils reconnurent l'accent de Carcassonne de Philippe – annonçait à la radio son départ vers l'un des camps. Maheresho; Antoine décida qu'ils devraient d'abord passer à Maheresho, pour superviser le déchargement, avant de s'occuper du problème de M'Buga. Maheresho, c'était un camp qui tournait à peu près bien, mais il valait toujours mieux être là au moment du déchargement, quand on en avait l'occasion. Ça évitait les montées en chaleur, les bagarres, les coups de folie qui prennent d'un seul coup dix mille personnes devant un tas de sacs de nourriture, et les cadavres à compter le lendemain.

Ils montèrent dans le pick-up pour descendre au garage, installé plus bas dans la ville. Blaise, le responsable du parc de véhicules, leur avait demandé de profiter de leur balade à Butare pour dénicher des lames de suspension pour Toyota, et ils en avaient trouvé. Butare était une ville épatante pour trouver ce dont on avait besoin. Il y avait même des adolescentes tutsies qui n'avaient plus personne et qui se prostituaient pour presque rien.

Au garage, ils ne mirent pas longtemps à localiser Blaise. Il était en train de pester dans la fosse, sous un Magirus. Petit et maigre, Blaise ne devait pas peser plus de soixante kilos, en comptant les poils de sa barbe, qu'il ne rasait pas souvent. Il mettait un point d'honneur à râler du matin au soir, et surtout à engueuler les chauffeurs de l'équipe, qui n'étaient à ses yeux que des « manchots » et des « espingouins » tout juste bons à planter les bahuts et à casser le matériel. Pourtant, tous l'adoraient. Jouissant d'un prestige de sorcier, il disposait de la magie exceptionnelle des mécaniciens à l'africaine, qui savent remettre un véhicule en route avec presque rien. Il avait appris ça tout gosse, dans le petit garage où son père retapait des Jeep américaines « Willis », à la sortie d'un village de la vallée des Aldudes, ce coin oublié du Pays basque qui s'enfonce dans la ligne de la frontière espagnole, au cœur des Pyrénées, comme pour être sûr qu'aucune autorité constituée n'ira les ennuyer là-haut.

Olivier donna les lames à Blaise, qui fit un commentaire sur leur espérance de vie, qui devait se compter en jours. Tous les Toyota avaient été achetés avec des suspensions africaines à lames, mais les pistes étaient si rudes que sur les quatre, il y en avait toujours au moins un d'estropié. Blaise déposa les lames sur un établi et redescendit dans sa fosse. Ils le saluèrent et repartirent. Il ne fallait pas trop traîner pour rattraper Philippe sur la piste de Maheresho et suivre le déchargement.

À la sortie de la ville, Antoine perçut le relâchement qui accompagnait, chez lui, la traversée de l'entre-deux séparant

la ville des camps. Ils ne parlaient jamais de ce genre de
choses, dans l'équipe. La peur sournoise qui surgit à l'improviste, profitant d'un coup de fatigue ou de l'irruption
d'une tension violente, l'angoisse et la vigilance perma-
nentes, dès qu'un trop grand nombre de personnes les
entourait. Évoquer cela eut été, confusément, gripper les
rouages d'un fonctionnement basé sur l'action seule. L'action était le sens et la fin, et cela suffisait pour vivre chaque
jour au milieu des rescapés et des assassins. Antoine avait
appris à surfer sur l'adrénaline des peurs et à s'abandonner,
comme un boxeur sait le faire pendant les secondes où les
coups ne peuvent l'atteindre, à la respiration de la vie elle-
même, en chaque occasion. Après les quartiers constitués de
maisons en terre-tôles-planches qui s'épaulaient afin de ne
pas s'écrouler, la piste débutait tout de suite, bordée d'arbres
et d'une végétation irrégulière qui se mêlait aux potagers
familiaux des faubourgs. Puis, après que le pick-up eut évité
trop de bosses, de creux et de dévers au goût d'Antoine, qui
s'efforçait toujours de ménager la mécanique – son unique
instrument de sécurité –, ils traversèrent une succession
de hameaux. Quelques vieilles revenaient déjà du marché,
portant provisions ou invendus sur la tête. Des enfants trans-
bahutaient des jerricans en plastique jaune pour la corvée
d'eau. Des chiens sales dormaient au soleil, inutiles et
indifférents. Des chèvres tiraient sur des cordelettes fixées
à un piquet ou un arbre, et des petits cochons noirs et gras
fuyaient devant les véhicules, qui ne parvenaient pas toujours à les éviter. La vie semblait paisible sous la lumière vive.
Antoine mit ses lunettes de soleil à cause de la réverbération
sur la piste. « Les travaux et les jours », dit Olivier en regardant les femmes à la tâche devant un groupe de maisons
basses. Antoine sourit. Olivier avait encore en bouche de
ces expressions qui faisaient penser à l'*Angélus* de Millet. Un

reliquat des bons sentiments qui débordaient de lui quand Antoine l'avait vu débarquer, trois semaines auparavant. Du renfort de Paris. Antoine, seul à gérer les camps au début, avait dû se résoudre à demander de l'aide. Julie était alors remontée de Bujumbura, la base arrière logistique installée au Burundi voisin, où elle commençait à s'ennuyer. Ils avaient fait le tour des camps. Antoine lui avait donné quelques tuyaux, lui avait indiqué, parmi les responsables de chaque site, qui était plutôt brave type, qui plutôt crapule, et puis Julie avait pris sa part de boulot, de crasse, de peur et de morts. Tous les soirs ils se retrouvaient pour faire le point, échanger les histoires du jour et les informations essentielles. Antoine accompagnait encore Julie quand les problèmes à résoudre relevaient par trop de l'intimidation et des rapports de forces. Concrètement, il s'agissait alors, le plus souvent, d'aller expliquer à une crapule de chef de camp, les yeux dans les yeux, à deux centimètres de son visage fermé et hostile, qu'il devait arrêter ses « irrégularités », sinon le camp ne recevrait plus d'aide, ou bien lui-même ne serait plus considéré comme chef de camp, et ils feraient en sorte qu'un autre prenne sa place, ou bien, s'il commençait à y avoir trop de cadavres, ils viendraient le faire arrêter par les Casques bleus de la MINUAR[1], à moins qu'il ne préfère que l'on aille se plaindre aux nouveaux arrivants du FPR qui se feraient un plaisir de s'occuper de son cas...

En général, l'explication avait lieu au milieu du camp, devant les milliers de déplacés qui regardaient pour voir qui serait le plus fort, autrement dit pour savoir s'ils allaient devoir attendre la prochaine distribution organisée ou si le Blanc allait se faire déchiqueter, ce qui voudrait dire qu'ils

1. Mission intérimaire des Nations unies au Rwanda.

allaient tous pouvoir se jeter sur le stock, s'arracher les sacs de nourriture et s'entre-tuer une dernière fois avant de manger une dernière fois.

L'explication se faisait en parlant calmement, doucement même. Ne jamais s'énerver ni élever la voix avec un Africain. Ne jamais jouer au Blanc. Mais ne jamais montrer qu'on a peur. S'approcher le plus près possible de l'homme qui détourne l'aide tant qu'il peut, tout près de son visage, debout devant lui, planter ses yeux dans les siens, lui expliquer doucement, en sortant chaque mot d'un laminoir, au fond de sa peur, comme un acier trempé, inoxydable et tranchant. Et puis, à la fin du face-à-face, serrer la main de la crapule, lui sourire devant les milliers de déplacés qui, souvent, alors, applaudissaient et saluaient la performance. Ils respectaient la force et aimaient le courage.

Parfois la crapule gardait ostensiblement une machette à la main pendant l'entretien. Antoine, qui maîtrisait de mieux en mieux cet exercice d'équilibriste périlleux, se baissait donc, à la fin de l'explication, pour ramasser une longue herbe et la nouer autour de la lame. L'herbe nouée autour de la lame d'une machette, symbole de paix, geste effectué le sourire aux lèvres par un Blanc seul au milieu de milliers de déplacés, devant un homme qui mourait d'envie de le découper sur place, déclenchait un triomphe. Antoine savait qu'alors, auréolé de prestige, il pouvait garder la maîtrise du fonctionnement du camp pendant quelques semaines.

Julie avait encore besoin de lui pour ce genre de choses, mais pour le reste il n'avait plus rien à lui apprendre, et elle passait comme lui ses journées dans les camps, en jean et chemise à carreaux, armée de son sourire plus large que son visage, noyée sous les mômes en haillons qui l'adoraient, saluée surtout par les femmes, les femmes qui s'étaient faites héritières de la survie, du bon sens, du quotidien, de l'entraide et de l'avenir de chaque camp, et probablement aussi de ce pays où les hommes étaient devenus fous. Julie avait les femmes de son côté, et c'était toute sa force.

Mais les camps avaient continué à s'étendre, et Antoine finissait maintenant d'initier Olivier. Olivier, le renfort de Paris. Le premier jour où ils avaient commencé la tournée des sites, Antoine avait voulu lui parler du bain de sang, afin qu'il comprenne où il venait de débarquer, sur quelle planète exactement. Quand Antoine avait abordé, exemples à l'appui, les nombreux cas de tueries dont des prêtres avaient été à l'origine, appelant au massacre leurs ouailles et y prenant part eux-mêmes le plus souvent, Olivier avait eu cette réaction instinctive de rejet si commune aux catholiques quand on tente de simplement dire les crimes dans lesquels leur Église a pu tremper.

« Je ne peux pas croire une chose pareille ; pour un chrétien, l'amour du prochain est une vérité concrète, qui doit se vivre jusqu'au bout. Après, l'homme est ce qu'il est, faible, lâche, mais quand même. Sans avoir le courage du martyr, un prêtre ne trahit pas un commandement tel que "tu ne tueras point" sans perdre son âme. »

Il avait parlé comme s'il avait lu un commentaire extrait du catéchisme. Antoine n'avait rien répondu. Il avait un peu réfléchi, caressant quelques minutes l'idée de ramener ce type à la base et de recommander par radio au chef de mission de lui prendre un billet retour Bujumbura-Paris dans les meilleurs délais. Mais il avait préféré l'emmener à Kaduha dès le premier jour, et cela avait été efficace.

Ils étaient montés, dans cette magnifique journée très claire, jusque là-haut, ce là-haut qui était plus loin que le plus éloigné des camps. Les champs de thé en escalier, en contrebas de la piste, brillaient sous la lumière. « Le pays aux mille collines », comme disaient les brochures touristiques qui traînaient encore à l'hôtel du même nom, à Kigali. Oui, un pays magnifique. Vert, cultivé, riche, fait pour la paix. Et évangélisé, de surcroît, un des pays d'Afrique où les chrétiens représentent une majorité écrasante. Quand ils étaient arrivés à Kaduha, l'air était doux, le ciel assez bleu. Des femmes portant des enfants passaient devant la basilique et la statue de la Vierge, érigée sur une sorte de terre-plein. Tout le site, comme à Lourdes, n'existait que parce que la Vierge était apparue ici, à cet endroit où ils avaient arrêté le pick-up et étaient descendus. Ils étaient restés un moment, entre la basilique et la statue, silencieux, embrassant l'endroit et l'horizon du regard. Antoine s'était dirigé vers la statue, faisant signe à Olivier de le suivre. Ils l'avaient contemplée un instant. Antoine lui avait montré les traces d'impacts que l'on ne remarquait pas tout de suite, sur le socle.

« Les rafales de Kalachnikov l'ont un peu écaillée à la base, mais finalement, tu vois, elle s'en est plutôt bien sortie.

– Pourquoi, les rafales ?

– Pour ceux qui ont eu de la chance. Les Tutsis de la région sont venus par centaines, des familles entières, se réfugier ici quand la boucherie a commencé. Un lieu sacré, un endroit pareil, ils ont pensé que l'Église les prendrait sous sa protection. Ils étaient entassés dans la basilique et le presbytère. Les prêtres leur ont dit qu'ils étaient sous leur garde, puis ils ont fait monter les Interhamwe[1], après leur avoir distribué des machettes. Il y avait aussi des sol-

---

1. « Ceux qui se battent ensemble » : milice hutue responsable d'une grande part des massacres de 1994 au Rwanda.

dats des FAR[1] et des gendarmes qui sont arrivés avec des armes automatiques. Ils ont encerclé tout le site, avec l'aide des prêtres. Quand ils se sont avancés vers les bâtiments, les Tutsis ont compris. Certains ont essayé de s'enfuir, de se défendre, mais ça a fait rire les tueurs. Vraiment rire ; c'est un des Interhamwe qui me l'a dit, un type gentil, d'ailleurs. Il m'a raconté les choses comme ça : "Nous avons ri en les voyant courir ou ramasser des pierres, et nos chefs leur ont dit de ne pas résister, car c'était fatigant de leur courir après pour les tuer." Enfin, la plupart n'ont pas fait grand-chose. De toute façon, ils étaient piégés. Mais il y avait des familles qui avaient encore de l'argent, leurs économies avec elles. Ces familles ont demandé aux tueurs de pouvoir être abattues proprement, à l'arme automatique, devant la statue de la Vierge. Et les tueurs ont accepté. Ils ont vraiment respecté le contrat. Les familles s'avançaient, le chef de famille donnait l'argent aux meneurs ou aux prêtres, et ils s'agenouillaient ici, au pied de la statue, en serrant leurs enfants contre eux, qui n'avaient pas du tout envie de rester là à attendre de se faire tirer dessus et qui demandaient pourquoi les gens les tuaient, et ils étaient fauchés au Kalachnikov. Les rafales n'étaient pas toujours parfaitement ajustées, bien sûr, et cette pauvre statue a pris un peu de plombs, tu vois. »

Olivier était resté immobile devant la Vierge. Il avait regardé les impacts, et avait levé les yeux vers le visage de Marie.

« Et les autres ?

1. Forces armées rwandaises : armée nationale rwandaise, essentiellement constituée de Hutus.

– Pour les autres, la majorité en fait, ça s'est passé un peu autrement. Viens, on va faire un tour. »

Antoine s'était dirigé vers la basilique. Un chien sale qui boitait d'une patte arrière les avait suivis un moment, mais ses yeux fuyants avaient vite compris qu'il n'avait rien à espérer de ces deux-là, et il était retourné se cacher près du presbytère. La porte de la basilique était ouverte. Ils étaient entrés. Il faisait un peu sombre au début, mais leurs yeux s'étaient habitués, et Antoine avait commencé la visite guidée. L'autel et les bancs des fidèles semblaient intacts. Ils avaient été remis en état, alignés et nettoyés. Mais la pierre, surtout aux endroits où elle se creusait, n'avait pu être parfaitement lavée. De longues traînées de sang, des taches lourdes au sol, d'immenses éclaboussures, comme si ceux que l'on avait massacrés ici avaient été, un moment avant de mourir, en suspension dans l'air, et des impacts, nombreux, aussi, jusqu'au fond derrière l'autel, couvraient les murs et le sol, sombres traces que l'on ne remarquait pas immédiatement dans le clair-obscur du matin. Antoine, patiemment, précisément, avait montré, expliquant doucement, révélant les circonstances, extirpant les secondes d'horreur inscrites dans chaque détail du silence de la basilique. Il avait même désigné les pieds de certains bancs de prière qui étaient foncés à leur base, comme peints de vermillon.

« Tu vois, le bois, ça absorbe comme une éponge. Il y a eu tellement de sang, une vraie mare à certains endroits, qu'aucune main n'a pu le nettoyer. Les fibres du bois l'avaient bu pendant des heures. »

Antoine n'avait pas insisté et était sorti de la basilique.

« Viens, on va aller voir le presbytère. C'est le plus intéressant, en fait. »

Le presbytère était construit à côté de la basilique. Ils n'avaient croisé personne. Le bâtiment semblait un peu abandonné. L'herbe poussait dans la cour intérieure. Olivier avait cru voir un instant la tête du chien boiteux apparaître et les observer dans la pénombre d'une porte.

Antoine n'avait rien dit, il n'avait pas prévenu. Dès les premières pièces où ils étaient entrés, l'alphabet était apparu sous leurs yeux. Comme des spéléologues déchiffrant pour la première fois des inscriptions rupestres brusquement mises au jour, ils avaient lu les heures de sauvagerie dans les longues giclées de sang, les bouts d'os, de cervelle, de peau, de cheveux et de chair séchés et collés aux murs, où des impacts en rafales montaient du sol au plafond. Les victimes, prises au piège de chaque pièce dont l'issue avait été soudainement envahie par les tueurs, s'étaient un moment précipitées d'un mur à l'autre, où leurs blessures atroces avaient laissé partout une marque. Acculées finalement dans un coin, un angle, elles avaient été déchiquetées à l'arme blanche ou automatique.

« Tout ça a dû faire beaucoup de bruit. Tu imagines, les hurlements des hommes, des femmes, des enfants qu'on découpait, qu'on éventrait, les cris des tueurs, les cris des prêtres qui leur indiquaient ceux qui vivaient encore, ceux qui couraient çà et là comme des mouches prises au piège, les rafales d'armes automatiques dans l'étroitesse des pièces. Mais les prêtres, étaient-ils encore des prêtres ? Le 6 avril, après la mort de Habyarimana[1], chacun a dû choi-

---

1. Le président rwandais hutu Habyarimana est mort dans l'explosion de son avion, abattu par un missile le 6 avril 1994 ; le génocide organisé des Tutsis, désignés comme responsables, commençait quelques heures après.

sir son camp en quelques heures. Ces prêtres étaient hutus,
et l'amour du prochain, comme tu dis, ils l'ont oublié
comme leur première communion. Tout est devenu d'une
simplicité biblique, si j'ose dire : Hutus ou Tutsis, les vivants
et les autres. »

Olivier s'était forcé à écouter. Il avait eu envie de
demander à Antoine s'il avait répété son petit numéro,
préparé ses commentaires pour chaque étape de la visite.
Mais il ne l'avait pas fait, car il avait découvert que le désir
délibéré d'Antoine de le blesser le soulageait. C'était
comme de ne plus avoir à faire attention à ses habits du
dimanche grâce à la méchanceté libératrice d'un camarade
qui vous fait tomber dans le caniveau. À la fin de la tirade
d'Antoine, il s'était demandé, de manière un peu incon-
grue, si le chien boiteux avait eu le temps de manger beaucoup de bons morceaux avant qu'on enlève les cadavres.

Antoine avait poursuivi le parcours, gardant le meilleur
pour la fin. C'était l'une des dernières pièces, une dépen-
dance. Ils étaient entrés et tout de suite l'odeur les avait sub-
mergés. Antoine, qui savait, s'était préparé, mais Olivier
avait eu un haut-le-cœur. Il n'y avait presque pas de traces
ni d'impacts dans cette pièce, et l'on cherchait un peu la
source de la puanteur. Mais la baignoire, objet plutôt
luxueux et inhabituel au Rwanda, arrêtait vite le regard.
On s'approchait alors, et l'on voyait. Ils virent donc, dans la
baignoire, la décomposition très avancée de ce qui avait été
un torse d'homme, sous une chemise couleur de sang séché
dont la matière se confondait, dans la désagrégation, avec
les tissus humains. Il n'y avait pas de tête, pas de bras et pas
de jambes. Ce qui semblait relever de l'usure d'une vieille
faïence se révélait de près être des traces de coups, de lames
et de balles, sur le bord et à l'intérieur de la baignoire.

« Il a dû essayer de se cacher en s'allongeant dans cette baignoire. Ils l'ont quasiment découpé dedans. Quand ils ont voulu enlever le corps en le soulevant par les jambes et sous les bras, le milieu du torse s'est détaché tout seul et est resté dans la baignoire. Il semblerait que personne n'ait eu envie de ramasser ce qui restait. »

Olivier s'était forcé à regarder et à respirer calmement. Il n'avait pas vomi. Il était sorti de la pièce pour faire quelques pas au soleil, continuant à respirer avec application.

Ils avaient arrêté là la visite. Au-dehors, ils s'étaient assis un moment contre la pente douce d'un talus, dos à tout cela, grillant une cigarette, regardant la beauté des collines, les fumées qui montaient dans l'air clair, au-dessus des villages et des camps. « J'ai soif », avait dit Antoine. La gourde dans la voiture était vide. Ils étaient allés demander de l'eau à une femme qui portait un sac, un enfant dans les jambes. Ils l'avaient suivie jusqu'à sa maison, qui n'était pas très loin de la basilique. Elle leur avait donné de l'eau dans un gobelet en métal. Pendant qu'ils buvaient, son enfant, réfugié dans son dos, regardait ces deux Blancs silencieux avec des yeux inquiets. Ses yeux n'avaient pas exactement la même couleur, et c'était comme deux nuances de la même peur. Il portait un tee-shirt de football avec le numéro 9 marqué dessus.

Ils n'avaient reparlé que plus tard, dans la voiture, quand l'air des vitres ouvertes avait un peu chassé la nausée. Olivier était calme, presque libéré. Il avait demandé ce qu'étaient devenus les prêtres qui avaient fait ça.

« Disparus dans la nature ou parfois exfiltrés par le réseau des pères blancs. Certains sont maintenant réfugiés en Europe sous l'hospitalité bienveillante du Vatican. »

Olivier n'avait rien répondu. Antoine s'était fait la réflexion, alors qu'ils continuaient à redescendre aussi vite

que les nids-de-poule et les cailloux de la piste le permettaient, que s'il était trop tôt pour dire si Olivier allait pouvoir être utile au Rwanda, le Rwanda se révélait déjà utile
à Olivier.

Un peu plus tard, l'idée qu'il n'avait aucun droit de
juger quiconque se présenta à son esprit, escortée d'une
honte confuse. Il s'était comporté comme une tête à
claques, là-haut. Le gardien je-sais-tout du musée des hor-
reurs. La vérité, c'est que connaître le visage de ce mal ne
vous rend pas meilleur, et en tout cas pas plus généreux. Il
faudrait pouvoir hurler, afin d'évacuer ses égouts intimes,
contre quelque chose de précis, de défini. Mais personne
ici n'a vraiment compris pourquoi ce qui s'est passé s'est
passé. Antoine ne pouvait guère compter que sur la
secousse des pollutions nocturnes.

Ils aperçurent le camion de Philippe au moment où
celui-ci s'engageait sur la piste étroite qui commençait
après le grand camp de Cyanika. Antoine arrêta quelques
instants le Toyota pour laisser le camion prendre suffisamment de champ, afin de ne pas avoir à respirer la poussière
qu'il laissait derrière lui. Ils le regardèrent tanguer et
rebondir sur le mauvais lacet de terre fine et de grosses
pierres qui serpentait, à flanc de colline, jusqu'à Maheresho. Le site n'était pas loin, et ils le suivirent des yeux, toujours à distance respectueuse, entamer comme un escargot
son dernier virage et s'engager dans le camp. Ils l'imitèrent.
Ils n'avaient pas eu le temps d'atteindre les premiers blindés
que, déjà, le Toyota avait été pris d'assaut par plusieurs
dizaines de gosses. Ils en transportaient, contre leur gré, une
bonne vingtaine, entassés dans le plateau arrière, accrochés

33

aux ridelles, grimpés sur le capot avant et même un sur le toit de la cabine qui risquait à tout moment de payer sa témérité par une très mauvaise chute. « *Muzungu, Muzungu*[1] » ; le cri, repris et scandé par les centaines d'enfants, les portait alors qu'ils étaient descendus du véhicule et qu'ils s'avançaient vers l'endroit où se tenait Benjamin, le chef de camp, et ses deux adjointes. Les gosses les entouraient, se pendaient à leurs mains, leurs vêtements, sautaient devant eux, faisant obstacle à chacun de leurs pas. Ils avançaient tout de même, à travers les gosses et à travers l'odeur. L'odeur des camps. Odeur de la mort, des cadavres pas encore enterrés, odeur de la crasse des vivants, odeur de la merde et de la pisse, odeur des blessures non soignées, infectées, gangrenées, odeur de cuisine faite dans des ustensiles jamais lavés, odeur des quelques chèvres que certains ont pu emporter, odeur de sueur, odeur de peur, avec maintenant la chaleur et les mouches sur tout cela. Les centaines de blindés, la plupart recouverts de bâches plastique dont Antoine avait supervisé la distribution, s'étalaient sur leur gauche. À droite, un alignement de cabanons où l'on vendait et consommait la « gwa gwa », l'alcool de banane. Les hommes appelaient fièrement ces bouis-bouis des « cabarets ». Les déplacés formaient une sorte de haie d'honneur, avec les enfants, pour les deux Français. Leurs vêtements n'étaient que guenilles et haillons. Pantalons, shorts et tricots en lambeaux, pagnes élimés, déchirés, maculés, souillés, chemises et vestes moisies, rongées de vermine. Seules quelques femmes, miraculeusement, avaient préservé un peu de tissu de la salissure pour, en un ultime geste de coquetterie, en faire une coiffure couvrant

1. « Le Blanc, le Blanc. »

34

leurs cheveux raidis de spectres. Ils avançaient toujours, respirant à contrecœur. Antoine hurla dans sa tête ce que tout son corps pensait à cet instant précis : « Disparaissez ; vous sentez mauvais et vous me dégoûtez. Je ne veux plus avoir à vous toucher. Vous me donnez envie de vomir. » Déjà Benjamin s'avançait vers lui en souriant. Il lui tendit la main. Antoine la lui serra et serra aussi Benjamin contre lui.

Philippe finissait de manœuvrer près du stock, sortant la tête de la cabine du Mercedes 911 pour crier aux gosses de dégager de dessous le camion. Il avançait, reculait, braquait, n'arrêtant pas de crier, de faire attention. Il avait peur et avait raison d'avoir peur. Les gosses n'attendaient pas pour se précipiter sous le camion et gratter, fouiller la terre afin de recueillir quelques grains de riz, de blé ou de sorgho. Ils savaient que les sacs de toile, jetés et entassés sur les planches et les ridelles de bois du plateau, s'écorchaient, s'ouvraient sur les clous, les échardes, et laissaient tomber par l'interstice entre les planches quelques grains. Ils se précipitaient quand le camion commençait à ralentir, en grappe dépenaillée, petits gueux qui se servaient d'un tee-shirt, d'une liquette relevée en creux pour y recueillir leur trésor. C'était le cauchemar des chauffeurs. Écraser l'un d'eux en manœuvrant. Par miracle, ce n'était arrivé qu'une fois. Une petite fille. Littéralement enfoncée dans le sol par les roues du camion. Tout le monde dans l'équipe s'en souvenait. Quand le frein de parking était enfin mis, le moteur coupé, les chauffeurs descendaient de la cabine et engueulaient les mômes tant qu'ils pouvaient, soulagés, heureux. Les gosses attendaient le déchargement, de plus en plus nombreux sous le camion. Le déchargement, c'était la vraie fête. En tirant les sacs pour les descendre, les hommes les accrochaient aux échardes, perçant, agrandissant les trous. Parfois alors les grains coulaient entre les planches par filets, comme du sable. Les gosses se battaient pour tout recueillir, et il fallait les séparer. Les plus grands arrivaient aussi. Adolescents, adultes isolés. Ceux qui ne pouvaient plus compter sur personne. Il fallait calmer tout le monde. Chasser sans hésitation les gosses. Interrompre un instant le déchargement. Faire redescendre le thermomètre du camp. Faire parler les chefs de camp, les responsables de distribution. Faire dire que tout le monde allait recevoir sa part. Que tout le monde allait pouvoir manger. Que personne ne serait oublié. Faire résonner le verbe. Et puis au besoin se montrer dur, faire peur. Se planter entre le camion et la foule, regarder la foule et menacer de tout arrêter. Plus de camions, plus de distributions, plus rien à manger. Ce camp est un vrai bordel. Nous refusons de continuer à apporter la nourriture si cela ne change pas. Vous devez être raisonnables. Obéir aux chefs. Sinon, fini. Ça marchait. Mais à chaque fois Antoine se demandait si ça allait encore marcher, ce coup-ci. Et Maheresho était le plus facile des camps, le mieux organisé. Un profil idéal. Un homme plutôt honnête comme chef de camp, le brave Benjamin, qui n'avait pas dû faire trop de mal pendant les massacres. Et à ses côtés, l'aubaine, l'idée géniale. Deux femmes aux vraies responsabilités. Et elles portaient le même prénom! Antoine leur avait donné un numéro à chacune. Liberata 1 et Liberata 2. Les déplacés avaient adoré. Ils avaient trouvé cela excellent et tout le monde maintenant les appelait ainsi. Liberata 1 était la responsable du stock. Liberata 2 était la responsable de distribution. Le stock était fermé par trois cadenas, toujours une idée d'Antoine. Benjamin avait la clé de l'un, et les Liberata chacune la clé de l'un des deux autres. Pour piller le stock

il fallait utiliser une grenade, ou tuer les trois responsables
du camp en même temps, ou arriver à les acheter en même
temps. C'était possible mais un peu compliqué. Pour l'instant le système fonctionnait. Maheresho était le camp préféré d'Antoine. Il aurait aimé pouvoir mettre aussi dans les
autres camps des femmes aux responsabilités. Mais c'était
difficile et dangereux. Peu de volontaires. Les femmes pré-
féraient laisser le prestige et les trafics aux hommes, pour
mieux sauver ce qui pouvait l'être ensuite. Mais les isolés,
ceux qui n'avaient plus de famille, faisaient les frais de cette
résignation. Trop de détournements. Il fallait assister à
chaque distribution, s'assurer presque que chacun mangeait ce qu'il avait reçu. Quand les femmes ne peuvent
protéger que leur famille, il n'y a plus de pitié dans les
camps. La loi du plus fort, dans un endroit où plus de la
moitié des hommes ont tué comme ça des gens qu'ils
connaissaient bien, a la banalité du quotidien.

Quand tous les sacs furent déchargés, comptés et entassés dans le stock refermé par ses trois cadenas, Antoine, Olivier et Philippe se laissèrent offrir une Primus[1] par Benjamin et les Liberata sous l'auvent d'un cabaret. La foule des
déplacés s'était lentement désagrégée. Les femmes étaient
retournées à leurs travaux, les hommes à leurs palabres, à
leurs postures ou à leurs remords. Il n'y avait plus que les
gosses pour continuer à tourner autour du cabaret, s'appro-
chant puis se sauvant en riant, mangeant des yeux les Blancs
qui avaient le pouvoir de nourrir, criant sans cesse et toujours le défi et le besoin : « *Muzungu, Muzungu.* » Le cabaret n'était qu'un assemblage de planches recouvert d'une

---

1. Marque de bière très commune dans la région de l'Afrique des
Grands Lacs.

bâche. Trois bancs de bois faisaient un demi-cercle sur lequel ils se tenaient, Blancs et Africains mêlés. Entre deux gorgées de bière, ils posaient leur bouteille sur le sol de terre battue. L'odeur était supportable. Le cabaret était suffisamment éloigné des blindés pour qu'on puisse s'y sentir bien. Philippe racontait des histoires de fesses que les Liberata faisaient semblant de trouver crues. Antoine parla un peu des problèmes du camp avec Benjamin. Quelques individus énervés qu'il fallait surveiller. Manque de bâches plastique pour les nouveaux arrivants. Serait-il possible d'avoir aussi des ustensiles de cuisine? Benjamin avait déjà une liste de familles qui n'avaient rien pour préparer leurs repas. Antoine prit note mentalement, hochant la tête. Philippe descendait les Primus. Les Liberata continuaient à rire. Olivier discuta un peu avec elles du programme de nutrition thérapeutique que Médecins Sans Frontières avait lancé dans le camp, en coordination avec leurs distributions de nourriture en gros. Ça se passait bien. Les Liberata avaient commencé à faire des comptages. Il y avait moins de bébés morts qu'avant. Antoine profita de la discussion pour demander des nouvelles de Yasmina. C'était plus fort que lui. Il ne l'avait pas vue depuis plusieurs jours. Samedi prochain, à la fête chez MSF, elle serait là, sûrement. Elle était infirmière et s'occupait, entre autres, du programme de nutrition thérapeutique à Maheresho. Quand Médecins Sans Frontières avait envoyé la première équipe au Rwanda, elle avait fait son sac sans hésiter. La plupart des volontaires des premières équipes étaient revenus en France, remplacés depuis par des nouveaux. Trop de cadavres, trop de cauchemars. Pas elle. Elle était restée. On disait qu'elle tenait en se dopant au sexe. Yasmina, le fantasme de Gikongoro. Longue chevelure brune et bouclée, yeux d'amandes, seins pointus, cuisses de miel qu'Antoine avait mangées des yeux un dimanche où elle traînait en short, tard, au réveil. Il était passé en voisin. Le bruit courait, dans la communauté humanitaire expatriée masculine de Gikongoro, que Yasmina refusait d'utiliser le préservatif. Ceux qui racontaient cela prenaient des airs de savoir de quoi ils parlaient, bien que personne n'eût encore été surpris avec elle. Mais tous n'étaient pas mythomanes. Yasmina avait envie, souvent. Elle ne s'affichait pas, elle faisait. Cette évidence sexuelle auréolée de mystère rendait fous les hommes.

Les gosses s'étaient finalement lassés de crier et de faire la ronde. Benjamin et les Liberata les raccompagnèrent. Les odeurs de repas de midi montaient déjà de tous les coins du camp. Antoine laissa de nouveau Philippe s'engager le premier sur la piste. Il n'y avait pas d'enfants accrochés au pick-up dans le sens de la sortie. En quittant le camp, ils aperçurent un groupe de personnes, à la lisière du site, qui creusaient une fosse pour y enterrer les morts de la journée.

Le camion de Philippe, allégé de sa charge, rebondissait encore plus sur les grosses pierres et les trous. Il tanguait moins, par contre. Philippe les attendit à l'endroit où la piste faisait une patte-d'oie. Il rentrait à la base charger pour un autre camp. Ils se saluèrent de la main. Olivier se demanda, en se retournant pour le voir disparaître derrière sa propre poussière, combien de temps le miracle qui avait préservé les camions et leurs conducteurs d'une culbute dans un ravin se prolongerait. Dieu, s'il avait manqué l'occasion de manifester la toute-puissance de son amour à un endroit où pourtant la mère de son fils s'était laissé voir, cherchait-il à se rattraper en accompagnant chaque tour de roue des chauffeurs poids lourds qui nourrissaient maintenant une bonne partie des assassins ?

L'affaire de M'Buga fut rapidement expédiée. Menace d'interrompre immédiatement l'aide. Menace de demander au FPR un coup de main pour mettre de l'ordre et arrêter ceux qui se servaient trop facilement de leur machette pour qu'on ne pense pas qu'ils en avaient pris l'habitude ces derniers mois. L'allusion calma les plus avides. Le FPR et sa justice expéditive envers les « génocidaires » étaient une épée de Damoclès plutôt efficace, depuis quelque temps.

L'élection du nouveau chef de camp fut organisée. Longues files d'hommes et de femmes se plaçant derrière l'un des trois candidats. Il suffisait ensuite de faire compter le nombre d'individus dans chaque file trois fois de suite, par trois groupes de volontaires différents. Pas de contestation possible. Antoine discuta à voix basse quelques minutes avec le nouveau chef de camp. Avertissements, début du rapport de forces. Arbert, c'était son nom, reçut comme symbole d'investiture le nouveau cadenas et la clé du stock du camp. Il en était responsable. À bon entendeur, salut. Alors qu'ils regagnaient leur véhicule, ils aperçurent une femme, veuve, qui, à chaque distribution, se proposait pour aider à faire les doses, dans de grands gobelets en plastique, qui étaient versées à chacun ; le niveau devait être le même pour tous, sinon... Elle préparait le repas de la journée, accroupie devant l'une de ces huttes de branchages couvertes d'une bâche plastique que chacun s'obstinait à nommer « blindé » – il y a des entêtements dans l'absurde qui relèvent de l'espérance. Une fillette essayait de l'aider.

Antoine chercha des yeux la plus petite, qui venait souvent lui réclamer des biscuits, un reliquat des rations de l'armée qu'ils avalaient quand ils n'avaient pas le temps de rentrer à la base pour déjeuner. Il demanda où elle était. « Elle est morte ce matin », répondit la veuve. Olivier crut une seconde qu'elle avait parlé du temps qu'il faisait. Elle avait dit ça comme elle aurait pu dire « il a plu ce matin ». Antoine alla chercher les biscuits sans que les autres déplacés ne le voient, et les remit discrètement à l'enfant qui restait. La veuve leur souhaita « le bon courage ». Dans la voiture, ils contactèrent la base par radio pour signaler qu'ils rentraient.

Antoine, qui marchait au milieu des cadavres depuis son arrivée, ne pouvait pourtant se dégager du malaise occidental devant la mort simplement acceptée. Il conduisait le pick-up avec un excès de prudence, comme si cette femme lui eût fait une révélation le désignant comme une cible de la fatalité, quelqu'un qui, soudainement, en savait trop. Nous sommes moins démunis face aux convulsions terrifiantes de l'espèce que devant l'évidence du transitoire.

Léa et plusieurs des chauffeurs avaient déjà mangé quand ils arrivèrent. Léa dit à la cuisinière et à sa fille, qui l'assistait, de réchauffer ce qui restait du plat de midi. Elle resta avec eux à table pour discuter, en buvant un café et en fumant des cigarettes. Ils furent servis par les deux Rwandaises, mère et fille unies dans le même sourire et le même silence. Il y avait quelque chose de colonial dans l'évidence des rôles, mais de gentiment colonial, quelque chose d'humanitaro-colonial. Les chauffeurs discutaient dehors, sur le perron, avec Blaise. Les talents respectifs des putes rwandaises et burundaises, à ce qu'Olivier put attraper. Conversation de spécialistes. Une odeur de marijuana entrait par intermittence dans le salon-salle à manger de la grande maison. Ils parlèrent de M'Buga, des problèmes, de l'élection du matin. La radio VHF transmit l'appel d'un chauffeur qui signalait qu'il s'arrêtait pour casser la croûte du côté de Karembi. C'était Dom. Léa se leva un instant pour répondre « bien reçu ». Casser la croûte ou autre chose. Dominique était capable de tout, meilleur ou pire. Peut-être le seul type de l'équipe qui faisait réellement peur aux autres. La quarantaine, grand, fort, un visage et une chevelure noire de Gitan. Il portait en tatouage sur chaque épaule un cercle noir. Et les trois points des taulards entre le pouce et l'index. Il portait aussi des chemises magnifiques. Il en changeait chaque jour, ce qui en faisait un chauffeur à part. Des chemises à cinq cents francs pièce. « Je ne suis pas un chifftire, moi », avait-il répondu un jour alors que quelqu'un, dans l'équipe, lui faisait remarquer qu'il avait les plus belles chemises du Rwanda. Il dormait seul, dans une chambre. Il préférait, et personne n'avait vraiment envie de partager une pièce avec lui. La maison était suffisamment grande. Sur sa table de nuit, il y avait une statuette de la Vierge posée sur un napperon. Pas un n'aurait osé se moquer de ça devant lui. Ils parlèrent de Dom et de ses « arrêts pour ceci ou cela » mystérieux. « Il est ce qu'il est, mais il amène les camions là où il doit les amener », dit Léa. Antoine l'observa quelques secondes. Elle n'était manifestement pas insensible au personnage. Le regard un peu ailleurs, la voix un peu trop neutre. La belle Léa aimait les voyous. Bon. Après tout, ça ne pouvait que la rendre encore plus désirable. Toutes les femmes aiment les voyous, quelques heures dans leur vie. Mais être attirée

par le plus dangereux d'une bande presque exclusivement
constituée de types bizarres, mal installés, sans avenir,
c'était intéressant. Combien de fois Antoine avait-il cru
rencontrer un vrai désir, un désir libre de tout confor-
misme, chez une femme ? Pas auprès des filles de Juvisy. Les
filles de Juvisy ne comptaient pas. Celles qu'il avait eues,
beaucoup de garçons pouvaient les avoir. Les choses qui
valaient le coup qu'on s'en souvienne avaient commencé
en histoire de l'art. Une période heureuse. Après le bac,
une année à la Sorbonne, à suivre des cours intéressants et
à sécher des cours ennuyeux dans les cafés de Saint-
Michel. Il s'était inscrit en histoire de l'art parce que cela
semblait loin de là où il vivait. Un pavillon de banlieue à
Juvisy qui n'avait jamais été véritablement terminé. Le
père était parti avec une femme. La mère avait élevé le fils,
seule. De sa fenêtre d'enfant, puis d'adolescent, il voyait les
avions qui décollaient d'Orly passer dans le ciel. Il les
imaginait long-courriers pour ailleurs. Il y avait un poster
de Rimbaud dans sa chambre. Les jeunes filles qui étaient
à ses côtés dans les amphithéâtres n'étaient pas des filles.
C'étaient des jeunes filles. Déjà un voyage. L'histoire de
l'art vécue comme une croisière d'un an. Les jeunes filles
comme des escales. Découverte de leur parfum, discussions intelligentes et cultivées. Très vite, souvent, ivresse de leur
odeur, de leur chair, de leur goût. Besoin de fouiller leurs
entrailles. Écoute de leurs cris, de leur jouissance. Boire
leurs cris et tenter de vivre le vers de Rimbaud : « Boire
des liqueurs fortes comme du métal bouillant. » L'échec à
l'examen de fin d'année qui ne fait qu'ouvrir une grande
envie. Il faut partir. Antoine devança l'appel. L'armée aussi
peut faire rêver. Service militaire dans l'infanterie de
marine. « Comme Rimbaud », avait-il dit quand il avait

reçu sa feuille de route. Il n'avait pas été envoyé en Asie, ni en Afrique, ni ailleurs. Les douze mois passés à Vannes l'avaient endurci physiquement et familiarisé avec les armes et la violence particulière des hommes en treillis. Les quartiers libres dans les bars à marsouins, les heures volées à rêver devant la mer, le vol stationnaire des mouettes dans le vent et les journées d'ennui en caserne, si loin de l'infanterie de marine hollandaise qui avait emmené Rimbaud jusqu'à Java. Un goût de sang et de métal dans la bouche ; lors d'un exercice de débarquement, en novembre, sa section qui se précipite sur la descente d'une barge pour gicler comme dans les films. Le type devant lui qui se casse la figure et Antoine qui tombe sur lui et se prend la culasse de son propre Famas en plein visage. La course maladroite vers la plage sous les cris des sous-off énervés. Chute encore et le sel qui vient piquer les blessures des lèvres ouvertes. Pataugeage ridicule de bidasses essoufflés dans l'eau glacée. Les paroles d'une chanson faite pour régler le pas des soldats : « Nous sommes les hommes des troupes d'assaut / Nous n'avons pas seulement des armes / Car le diable marche avec nous. »

Après l'armée, il avait retrouvé Orly. Déchargeur de soutes à bagages. Souvenirs de soirs d'été lourds de kérosène brûlé sur les taxiways à attendre les avions, un talkie-walkie à la main. La ruée ensuite vers l'appareil qui vient de s'immobiliser, et le déchargement des soutes comme un sport qui fait mal aux membres. Deux années de ce travail entrecoupé de sexe, et tous les livres lus. Son studio de la rue Montorgueil plein de livres, alors qu'il a laissé le ventre des avions à d'autres mains et qu'il travaille comme animateur de nuit dans une radio libre, puis comme journaliste débutant dans un hebdomadaire consacré à la nuit parisienne. Quelques années encore à épuiser l'excitation de la vie à l'envers. Les lieux de la nuit et leur course folle de chien qui se mord la queue, les rencontres et le bruit très fort. S'envoyer en l'air avec les filles de la nuit qui se marieront bientôt. Boire de la vodka avec un quart de gin, ou l'inverse. Un jour quelqu'un fit remarquer à Antoine qu'il avait cinq années de plus que les pigistes de vingt-deux ans qui ne dorment jamais. L'envie de vacances emmena Antoine loin de la nuit. Longues siestes au soleil sur une plage de Ceylan où rouillait un cargo grec échoué, le *Périolos*. Souvent, deux enfants d'un village proche de la plage venaient le voir en souriant. Ils ne lui demandaient rien. Ils parlaient un peu anglais. Le garçon s'appelait Desthin et la fille Maha Lali. Que faire de sa vie à vingt-sept ans ? À Paris, quelques camarades, avec qui il avait partagé des nuits blanches et des filles désinvoltes, lançaient un nouveau magazine. Un mensuel engagé. L'idée était d'explorer les champs vierges de la nouvelle fraternité. Antoine se joignit à l'équipe. Il n'était pas de trop. Il y avait tant à dire. La planète est notre mère. L'exclusion ici et là-bas. L'autre habite peut-être à côté de chez vous. Affrontement riches-pauvres ou dialogue Nord-Sud ? L'enjeu des ressources en eau potable. Il faut annuler la dette du tiers-monde. La musique est mondiale. L'avenir sera métissé ou ne sera pas.

Antoine était ce qu'on appelle un homme séduisant. Ce qu'il faisait était tellement bien. « Est-ce que vous parlez du bouddhisme, dans votre revue ? – Pas encore, mais nous préparons un numéro spécial consacré aux nouvelles spiritualités ; le bouddhisme y aura une place importante, c'est une source essentielle, incontournable. » Dans l'appartement d'Antoine, les femmes ne passaient plus, elles restaient. Les aventures devenaient des histoires. Des phrases commençaient à résonner à ses oreilles. « J'ai besoin de projets; j'ai envie de construire. » Les femmes aux abords de la trentaine qui parlent d'amour. Avec leurs copines elles parlent mariage et bébés. Regards en coin vers Antoine pour voir s'il suit. Faire comme les autres. Faire comme tout le monde. Fatalité du schéma éternel. C'étaient les mêmes qu'il léchait dans les toilettes des afters peu d'années auparavant. L'aigreur des femmes à qui il faut dire un jour qu'il vaut mieux arrêter avant que l'accident de pilule ne se pointe à l'horizon. Les larmes et les reproches. Antoine n'était qu'un égoïste. Un pauvre type qui ne grandirait jamais. Inévitablement, il rencontrait vite une autre femme. Désirable et déterminée. « Chéri, tu sais la nouvelle ? Mathilde vient d'avoir un petit Maixance. Tu te souviens de Mathilde ? Je lui ai dit qu'on passerait voir le petit samedi après-midi. Tu viendras, n'est-ce pas ? » À l'occasion d'un numéro spécial du journal (« Du Biafra à Sarajevo : la trajectoire humanitaire »), Antoine fit l'interview d'un responsable de l'ONG Intervention Directe. Quelque chose dans les silences et dans le regard de ce type qui donne envie de poursuivre la discussion. Les souvenirs et l'humour féroce qui commencent à sortir, une fois le magnéto rangé. On échange les numéros de téléphone. Quelques semaines plus tard éclata l'histoire rwandaise. C'est où le Rwanda ? Tout le monde cherche sur les cartes.

    « Dis donc, c'est drôlement petit comme pays, ils doivent être plutôt serrés là-dedans; ça doit être pour ça qu'ils se massacrent.

    — Non, il paraît que c'est pour des histoires d'ethnie.

    — De toute façon, c'est toujours la même chose, là-bas; ils se font la guerre entre tribus depuis des siècles. »

Antoine rappela.

« Et si je partais avec une de vos équipes ? Un grand reportage sur votre boulot, ça ferait parler de vous, ça vous aiderait, non ?

— Non, en ce moment on ne peut pas gérer un journaliste sur le terrain. On est sur le fil. Mais si tu veux partir, on cherche du monde. La deuxième équipe doit débarquer très vite. Ça t'intéresse ? »

Quand Antoine était sorti de l'avion sur l'aéroport de Bujumbura, il avait respiré la même odeur de kérosène brûlé qu'à Orly, dans la chaleur africaine. La deuxième équipe avait eu un mal fou à rassembler son matériel. L'aéroport débordait de monde. Les militaires et les douaniers burundais essayaient à peine de contrôler l'effervescence de fourmilière renversée. Quand ils eurent récupéré sacs, caisses et colis, ils traversèrent la foule moite et odorante pour charger le tout sur des pick-up. Il n'y avait plus de place dans les cabines des véhicules, et Antoine fit la route de l'aéroport vers la base arrière sur le plateau d'un Toyota. Il y avait beaucoup de soldats le long de la route. Le ciel sans nuages couleur ivoire. L'air chaud dans les cheveux et l'odeur d'essence, de terre avariée et de métal bouillant. Antoine était sauvé.

Le chargé de communication d'Intervention Directe (« ID » pour les gens du milieu) était venu de son appartement de la rue du Dragon jusqu'au siège de l'ONG en bus. À vingt-neuf ans, il aimait les bus qui parvenaient encore à lui faire prendre un trajet pour une balade. En repensant au week-end qu'il venait de passer à Saint-Malo avec sa fiancée, la gentillesse de son visage sans marque se troublait d'une nuance de gravité.

Passé le plus fort de l'été, la saison peut, à Saint-Malo, basculer vers autre chose, une sorte d'été indien. La lumière et une douceur persistant jusque dans la vigueur du vent venu du large y offrent alors des jours parfaits. Week-end avec photos souvenir. Seul chacun son tour, et tous les deux devant la mer, grâce à l'amabilité d'une passante. « Tu te souviens, chéri ? » On s'en souvient toujours, des moments où l'on pourrait encore fuir d'un coup de reins, mais où l'énergie fait déjà défaut. On feint d'ignorer en regardant les chiens courir sur la plage l'inévitable et prochain échange des consentements. On n'a, au fond, consenti à rien, mais le conjugal et son contrat sont déjà écrits. À propos d'écriture, justement, à peine arrivé ce lundi matin, il y a une note sur le bureau. Un communiqué à rédiger. Ça doit partir aujourd'hui. Le Rwanda. Bien sûr. Quoi d'autre ? Les murs de la pièce sont couverts d'affiches, d'annonces et d'encarts de presse. Afghanistan, Bosnie. Maintenant le Rwanda. Alerter, mobiliser. Combien de volontaires sont-ils là-bas, déjà ? Dix-huit, vingt ? Ça change en permanence. Première équipe, deuxième équipe, ce n'est pas toujours facile à suivre. Sur le bureau, la photo encadrée d'un violoniste du grand orchestre de Sarajevo jouant dans les décombres calcinés d'une maison bombardée de la vieille ville est repoussée de la main. Le cliché a été rapporté par un photographe ayant accompagné le premier convoi d'Intervention Directe dans la ville assiégée.

Faire de la place, rassembler sous les yeux les éléments à disposition. Petite carte du Rwanda. Rapports envoyés par l'équipe sur place, notes prises en réunion, témoignages recueillis auprès d'un ou deux volontaires du premier groupe déjà revenus. Pas facile de les faire parler, d'ailleurs. Toujours cette impression que ça les ennuie de raconter. Comme si on ne pouvait pas comprendre. Comme si on ne faisait pas tous partie de la même aventure. Heureusement qu'il reste les autres, ceux de l'extérieur. Quand vous leur dites que vous travaillez dans une organisation humanitaire, ils vous disent toujours que vous avez de la chance.

Le texte du communiqué doit être diffusé en priorité aux agences de presse, puis viennent les télévisions et radios nationales, les grands quotidiens, les titres régionaux à grand tirage, les hebdomadaires et les mensuels.

Paris, le 29 août 1994

COMMUNIQUÉ DE PRESSE D'INTERVENTION DIRECTE
RWANDA : SECOURIR COÛTE QUE COÛTE

Les événements qui viennent de se dérouler au Rwanda repoussent les limites de l'horreur : un million de personnes, peut-être plus, massacrées dans les conditions les plus atroces, soit près d'un septième de la population de ce petit pays africain exterminé en quelques semaines !

Les survivants de ce cauchemar ont tout perdu : tout ou partie de leurs proches, de leurs familles, leurs maisons, leurs terres et leurs biens. Hagards, affamés, vêtus de haillons, ils s'entassent dans des camps de déplacés où ils manquent de nourriture, d'eau potable, d'abris, de soins et des ustensiles les plus courants, alors que le froid des collines, la nuit et les pluies qui vont bientôt tomber en abondance faucheront les plus faibles.

Déjà, chaque jour, des centaines de corps sans vie doivent y être enterrés.

Ces camps, sans une aide humanitaire massive et rapide, risquent de devenir de véritables camps de la mort.

Intervention Directe, sans attendre de disposer de tout le budget nécessaire, a décidé d'entrer au Rwanda le plus rapidement possible afin de porter secours à la population.

Notre équipe de volontaires, approvisionnée par une véritable chaîne logistique et grâce à une flotte de onze camions tout-terrain, distribue jour et nuit une aide humanitaire d'urgence aux 62 000 déplacés des camps de la région de Gikongoro, au sud-ouest du pays.

Leur travail s'effectue dans des conditions extrêmement difficiles, l'insécurité et la dureté des pistes usent les hommes et le matériel. Mais l'urgence de la situation humanitaire est telle qu'aucun n'imagine ne pas continuer à secourir, coûte que coûte, les rescapés de l'horreur.

Pour cela, nous avons le plus urgent besoin de moyens financiers à la hauteur de la véritable catastrophe humanitaire qui frappe le Rwanda. Intervention Directe lance à cet effet un appel à la générosité du public, afin de permettre à ses volontaires de poursuivre leur effort.

Chaque geste compte, parce que chaque jour compte pour sauver plus de vies. Merci de relayer et de soutenir cet appel.

Envoyez vos dons à : Intervention Directe, Urgence Rwanda, CCP 655 K Paris.

Les pluies n'avaient pas cessé depuis des jours, et les pistes étaient devenues spongieuses et huileuses. Plusieurs camions avaient déjà dérapé, à la limite du plongeon. Seuls les approvisionnements indispensables étaient assurés.

L'un des camps éloignés qu'Intervention Directe ne ravitaillait que quand les autres ONG ne pouvaient le faire commençait à s'agiter, faute de réserves. ID était la seule à disposer de camions 4 × 4 moyen tonnage qui pouvaient grimper les pistes les plus primitives. Un Mercedes 911 prit la route en début d'après-midi. Vers quinze heures, Léa reçut l'appel radio du chauffeur. Le camion avait dérapé à la sortie d'un virage sur une pente gorgée de pluie, heureusement vers le bon côté de la piste. Le véhicule, chargé de son fret, s'était enlisé dans le bas-côté boueux. Impossible de le bouger d'un millimètre. Il était comme un éléphant aux pattes brisées dans un marais.

Un Toyota conduit par Antoine et Olivier et un Magirus avec Philippe et Blaise partirent à sa rescousse sous la pluie fine. Les Magirus étaient des camions plus puissants que les Mercedes 911, et pour un dépannage à l'arrachée ils faisaient l'affaire. Quand ils arrivèrent, Didier, le chauffeur du camion échoué, fumait une cigarette dans sa cabine à la portière ouverte, discutant calmement avec un petit groupe de villageois du coin qui commençaient à s'intéresser beaucoup au chargement du camion. Sacs de haricots. La nuit africaine était déjà tombée, et dans les phares du Toyota l'arrière du camion de Didier avait des airs d'épave. Le châssis semblait tordu, déformé par l'inclinaison et la charge. Après quelques minutes d'examen de la situation et une discussion précise arbitrée par Blaise, Antoine, Olivier et les chauffeurs décidèrent de décharger le camion enfoncé pour le tracter ensuite doucement au « tire-fort », avec le Magirus. Les Rwandais les regardaient en silence. Leurs yeux semblaient élargis par l'obscurité. On ne les distinguait pas tous, et cette incertitude sur leur nombre autour des véhicules, ainsi que leur silence affamé, faisait planer une menace diffuse mais presque tangible.

Ils n'eurent pas besoin de répéter aux villageois que les sacs de haricots étaient pour eux. Ceux qui étaient déjà là envoyèrent les plus rapides chercher des renforts au village. Antoine, Olivier et Didier grimpèrent sur le plateau pour prendre les sacs et les jeter par-dessus bord. L'effort violent rappela à Antoine le temps des soutes à bagages à Orly. En un peu plus d'un quart d'heure, le plateau fut soulagé de son poids et les suspensions se détendirent. Blaise et Philippe avaient pris le tire-fort et l'avaient fixé à chacun des camions. Un villageois, frêle parmi des hommes maigres, s'effondra sous la charge d'un sac qu'il venait de ramasser au pied du Mercedes. Un autre se pencha aussitôt pour prendre le sac que le premier avait laissé tomber au sol, mais celui-ci le repoussa. Ses membres fins se défendaient comme ceux d'un insecte contre les tentatives de l'autre, qui finit par abandonner. Celui qui avait défendu farouchement sa part resta quelques secondes immobile, haletant, aspirant l'air par sa bouche ouverte qui lui faisait un sourire d'athlète vainqueur. Il se pencha ensuite et remit d'un effort le sac sur son dos. Il s'en alla doucement vers le village, faisant des haltes fréquentes pour reprendre force et souffle. Son corps était complètement plié pour accueillir sur la surface entière du dos le poids du sac, et l'on ne distinguait de lui que ses jambes grêles, un short rouge et deux mains qui agrippaient son fardeau. Il ressemblait ainsi à un scarabée portant un caillou vingt fois plus lourd que lui.

Quand tous les villageois furent partis, Philippe, après avoir passé le crabot, commença, doucement, guidé par les indications des autres, à reculer, extrayant centimètre par centimètre le véhicule de son ornière. Quand le Mercedes fut entièrement remis sur le chemin, Philippe continua à le tracter jusqu'à un endroit où la piste était assez large pour permettre aux deux camions de manœuvrer. Les vêtements et les chaussures des hommes étaient trempés par la pluie, ainsi que leurs cheveux, mais aucun n'avait froid. Ils grillèrent une cigarette, assis sur leurs talons à l'abri du Magirus, écoutant Blaise leur expliquer que la pluie du Rwanda lui rappelait celle du Pays basque, puis les chauffeurs démarrèrent les moteurs. Le Toyota prit la tête du convoi pour éclairer la piste et guider les camions avec la VHF. Parfois les phares des véhicules illuminaient brusquement des Rwandais, seuls ou en groupe, qui marchaient dans la nuit le long de la piste. Indifférents et silencieux comme des apparitions, ils semblaient étrangers à leur propre existence.

Olivier essaya de prévenir Léa sur la HF qu'ils rentraient, mais avec la pluie et toutes ces collines, ça ne passait pas. Ils ne réussirent à la contacter que trois kilomètres avant d'arriver, deux heures plus tard. À la base, les hommes prirent une douche. L'échouage de Didier fut le sujet de discussion de la soirée. Julie et Léa décidèrent que cela ne pouvait plus continuer comme cela et que cette piste devait être remblayée et réparée au plus vite. Tout le monde était d'accord, même Dom qui, d'habitude, affichait le plus grand mépris pour l'intendance.

L'entrepôt de Caritas était situé dans la ville, à égale distance de l'évêché et de l'ancienne préfecture. Quand Antoine et Olivier arrivèrent sur le terrain attenant, plusieurs camions manœuvraient déjà pour se mettre à quai et charger. Thérèse Manin, la responsable de Caritas pour le Rwanda, était partie en France quelques jours. C'était plus simple ainsi. Ils s'adresseraient directement à Paul, le chef de stock américain, et celui-ci serait obligé de se décider tout de suite. Paul était catholique, ce qui en faisait un Américain un peu sur la défensive. Il passait ses journées dans son entrepôt. Il n'avait jamais vu un camp de déplacés. Il contrôlait le chargement des camions des ONG qui travaillaient en partenariat avec Caritas et signait les bordereaux. Il était mi-blond, mi-roux, avec une barbe mi-longue, une chemise rayée, et généralement un short qui lui arrivait à mi-cuisse. On aurait pu le surnommer « demi-Paul ». C'était un brave type qui essayait de faire son boulot le mieux possible. Antoine et Olivier avaient sauté d'un bond sur le quai et avançaient dans l'entrepôt aux trois quarts plein de sacs de riz et de sorgho empilés jusqu'au plafond, de tas de bâches plastique gris sombre ou bleu clair et – cachés derrière mais Antoine le savait – de piles de boîtes de lait concentré, vers le bureau vitré de Paul où celui-ci établissait les bordereaux de chargement pour chaque camion de chaque ONG, avec le nom du chauffeur, la date, et surtout le lieu de destination. Ce lieu que Paul ne voyait jamais, mais dont il connaissait le nom, car il connaissait par cœur le nom de tous les camps de déplacés dans un rayon de cinquante kilomètres autour de Gikongoro. À l'intérieur du bâtiment et sur le quai, les *workers* rwandais payés à la journée s'affairaient à charger les camions, en portant les sacs comme la veille les villageois qui avaient eu la chance de leur vie avec le camion de Didier. Mais ceux-là semblaient en meilleure forme, et devaient manger plus souvent.

Paul les salua avec gentillesse quand ils pénétrèrent dans le cagibi. Il prononçait « Antoine » comme « Anton », et

« Olivier » comme pour « Laurence Olivier », et c'était toujours un plaisir de l'entendre écorcher un prénom dans le bon français qu'il avait appris en Amérique.

« Salut, Paul, dit Antoine. On a besoin de toi. Opération spéciale.

— Oh, *special ops* ? Mais ça n'est pas le Vietnam, ici, non ? Même vos parachutistes Turquoise sont rentrés à la maison ; alors ?

— Alors il pleut beaucoup, en ce moment, Paul. Saison des pluies. Les pistes commencent à être vraiment dangereuses. Les camions ne peuvent plus aller vers certains camps. Et nous devons approvisionner tous les camps, non ?

— Oui, OK, mais je ne suis pas ingénieur, Anton. Je peux rien faire pour ça.

— Si, si, Paul. Écoute : on a juste besoin de faire réparer une piste pour pouvoir atteindre ce camp, Muko, tu connais, qui est loin et qui n'a plus rien.

— OK, Muko, je connais, vous avez chargé pour ce camp hier. Alors ils ont quelque chose, non ?

— Hier ils n'ont rien reçu. Le camion s'est mis dans le fossé et on a donné les sacs aux gens d'un village pour qu'ils nous laissent dépanner le camion. On va faire réparer la piste par des déplacés du camp, mais pour ça il faut que le bourgmestre du coin nous laisse faire. Sinon il va nous emmerder en disant que les déplacés n'ont rien à faire à travailler sur les routes de son secteur administratif. Alors on va donner un sac de riz au bourgmestre ce matin, et comme ça il nous laissera faire ce qu'il y a à faire, tu comprends ?

— Anton, mon travail, c'est d'organiser les chargements pour amener l'aide dans les camps. Je ne suis pas chargé d'organiser la corruption. Je suis contre la corruption, et je crois qu'il y a déjà trop de corruption dans ce pays.

– C'est vrai, Paul. Il y a eu aussi beaucoup de morts, non ? Peut-être même un peu trop ? Et s'il n'y a pas vite de quoi manger à Muko, il y aura des morts là-bas. Des morts qu'on aurait pu éviter. Tu vois ? Toi et moi, on peut décider maintenant s'il y aura des morts bientôt à Muko. C'est une question importante, Paul. C'est une question plus importante que la question de la corruption, non ?

– Anton, je comprends. Mais je dois signer un papier pour tout ce qui sort d'ici. Je ne peux pas signer un papier pour corrompre un bourgmestre.

– Paul, arrête de faire l'idiot. Tes *workers* doivent te voler beaucoup plus qu'un sac par mois, et tu le sais. Et pour ton papier, tu n'as qu'à mettre « Muko » dessus, et si on te demande pourquoi juste un sac, tu n'auras qu'à répondre que c'était pour un groupe qui venait d'arriver et qui ne pouvait pas attendre la prochaine distribution.

– Je ne sais pas, Anton. Je n'ai jamais fait ça. Mentir.

– Moi je l'ai fait souvent. Ne t'inquiète pas, j'ai l'habitude. Je signerai avec toi.

– OK, Anton. Mais je ne veux plus entendre parler de choses comme ça, après.

– D'accord, Paul. Je prendrai moi-même des sacs dans les distributions pour les mettre de côté. Tu ne seras au courant de rien, et tu pourras continuer à acheter ta place au paradis. »

Paul avait secoué la tête. Il était vraiment troublé, désemparé. Lui et Antoine établirent ensemble le bordereau. Puis Olivier et Antoine choisirent un sac de riz bien gras, et le portèrent jusque dans le plateau du Toyota, sous le regard amusé des Rwandais qui n'avaient pas l'habitude de voir un Blanc se fatiguer.

Ils revinrent saluer Paul, qui faisait un peu la tête, puis

montèrent dans le pick-up. La pluie n'était pas tombée depuis le matin, et il y avait même un soleil franc, joyeux, sur la ville et les collines.

« Paul est un type bien, dit Olivier alors qu'ils roulaient vers le domicile du bourgmestre. C'est assez beau, non, quelqu'un qui n'a jamais menti ?

– C'est magnifique. Avec Thérèse, ils vont bientôt pouvoir se faire canoniser. Sainte Thérèse et saint Paul du Rwanda.

– Tu ne peux pas leur reprocher d'avoir un sens moral, non ?

– Arrête. Ils ne mentent pas, hein ? Pour Thérèse, je n'en suis pas sûr, et pour Paul, en revanche, il ne ment peut-être pas mais il omet. "Omettre n'est pas mentir", comme disaient les jésuites. Derrière les tas de sacs de riz, au fond de l'entrepôt, lui et Thérèse planquent les stocks de lait concentré et de biscuits protéinés qu'ils gardent pour *leurs* protégés. Les Hutus de leur réseau de paroisses qui sont encore dans la région. Le réseau des fidèles évangélisés de sainte Thérèse. Plus de la moitié ont découpé leurs voisins tutsis à la machette, mais ce n'est pas grave. Sainte Thérèse sait fermer les yeux sur les faiblesses des hommes. Du moment qu'ils lui restent fidèles. »

La conversation avait tourné court. Antoine savait qu'Olivier n'était pas convaincu, et que c'était mieux ainsi.

Une légère nausée s'insinua dans l'esprit d'Antoine, qui tenta de se concentrer sur sa conduite afin de la chasser. En quelques semaines au Rwanda, il avait appris à agir avec la plus grande efficacité, mais il n'avait pas appris pourquoi. Olivier, qui n'était qu'un bleubite, avait mis le doigt sur une béance. Antoine réalisait son numéro de cirque tous les jours dans les camps; une performance au profit d'un public d'assassins et d'amnésiques. Il s'était découvert un homme d'action et méprisait autant le cynisme dévot de Thérèse Manin que la morale de patronage de Paul. Mais eux aussi avaient leur forme d'efficacité, tout comme les crapules des camps. Oui, c'était mieux qu'Olivier ne soit pas d'accord avec lui. Il y a une tradition du cirque qui met face à face un clown blanc et un auguste, pour que de leur confrontation éclate le rire de la vérité. Antoine sourit. Olivier en clown blanc et lui-même en auguste?

« Tu penses à Paul? lui demanda Olivier, qui avait saisi son sourire.

– Oui, il est touchant. C'est peut-être ça, ce que tu appelles "être un type bien". »

Quand ils arrivèrent au domicile du bourgmestre, celui-ci vint les accueillir. Il habitait une belle maison en dur, à l'occidentale, avec un mur de ciment assez haut autour de sa propriété, enceinte rare au Rwanda. Il fit ouvrir le portail par des gens qui avaient l'air d'être à son service, afin que le pick-up puisse y pénétrer et être à l'abri des regards. Ils s'assirent sous l'auvent de la maison, sans entrer. Olivier fit la conversation de politesse autour d'un thé. Ils avaient déjà eu l'occasion de rencontrer cet homme. Olivier se souvenait du discours sur lui-même que le notable leur avait tenu. « Je suis un politicien international », leur avait-il déclaré, expliquant qu'il avait fait partie d'un groupe d'élus rwandais invités en délégation en République populaire de Chine. Aujourd'hui, il semblait moins fier. La peur commençait à suinter de lui. Hutu et bourgmestre au moment des massacres, il avait beaucoup de chances d'être désigné comme organisateur et responsable des tueries par le FPR. Peut-être pas entièrement à tort. Il ne savait pas combien de temps il lui restait. Il pouvait abandonner ses fonctions et fuir, mais cela le désignerait comme coupable et signifierait la fin de son potentat local, de ses avantages. Déchiré entre sa peur et ce qu'il avait à perdre, il continuait à prendre au jour le jour ce qu'il pouvait prendre. Aujourd'hui c'était un sac de riz. Il n'aimait pas les déplacés, « sales et voleurs ». La quasi-totalité de ces déplacés étaient hutus, comme lui, mais ceux-ci venaient pour la plupart de préfectures, de communes qu'il ne connaissait pas, et n'étaient à ses yeux que des étrangers. Il comprenait, toutefois, le travail charitable que faisait Intervention Directe. Il ne s'opposerait pas aux travaux de réparation de cette piste, travaux qui d'ailleurs allaient profiter à tous ses administrés, et sans que la commune soit mise en frais. Les hommes silencieux à son service firent disparaître le sac de riz du plateau du Toyota sans qu'aucune transaction n'eût à être exprimée. Antoine et Olivier ne s'attardèrent pas quand les tasses de thé furent vides. Le bourgmestre les salua. Ses yeux bougeaient énormément. Il semblait toujours surveiller l'environnement autour des gens à qui il s'adressait. Son crâne d'Africain de cinquante ans presque chauve s'inclina imperceptiblement devant eux, arrêtant un moment les rayons du soleil toujours vivace, quand ils sortirent devant lui en voiture par le portail à demi ouvert.

Ils devaient repasser à la base pour prendre Julie, un traducteur et un deuxième véhicule. Ils en profitèrent pour manger un morceau tous ensemble. La radio HF avait été réglée pour une vingtaine de minutes sur le canal de Radio France Internationale, qui émettait à cette heure-ci en hautes fréquences sur l'Afrique. On parlait beaucoup de la guerre en Bosnie-Herzégovine. «Violents bombardements sur Sarajevo. » Ils essayèrent d'imaginer la situation là-bas, où ID avait aussi une mission, avec des volontaires comme eux, des traducteurs et des problèmes logistiques.

Ils reprirent la route rapidement pour monter jusqu'à Muko, se suivant prudemment sur la piste désagrégée.

À Muko il y avait beaucoup d'agitation. Ils durent faire un grand discours devant les déplacés énervés, avec le traducteur qui reprenait chaque mot. Il fallait que tous, même ceux qui ne parlaient que le kinyarwanda, comprennent bien le problème : les camions étaient prêts à venir leur apporter à manger, mais il fallait d'abord qu'ils réparent la piste que les pluies avaient défoncée. Avec le chef de camp, ils constituèrent des « brigades de travail », avec un responsable pour chacune, qui allaient se partager la tâche. Ils embarquèrent les chefs de brigade sur les plateaux des Toyota, avec le chef de camp et Innocent, le traducteur, et descendirent examiner ensemble la partie impraticable de la piste. Innocent traduisit les explications, montra ce que les Blancs montraient, mima les accidents de camions. Tous les chefs de brigade hochèrent la tête et manifestèrent leur détermination à permettre aux camions de rouler sans danger jusqu'à eux. Antoine expliqua que les travaux seraient suivis par Olivier et Julie, et que les camions ne chargeraient pas tant qu'Olivier et Julie n'auraient pas constaté que la piste était vraiment réparée. Les chefs de brigade approuvèrent, dans une sorte d'enthousiasme de pionniers de l'Oural assez drôle à voir. Tout le monde fut ramené à Muko et les deux pick-up redescendirent ensuite doucement à la base, alors que le soir tombait rapidement. Il n'avait pas plu de la journée.

Cikongoro, Rwanda

Antoine avait laissé Julie et Olivier suivre le chantier de Muko. Il avait pris une voiture pour monter, seul, à Kamwembi. Arrivé à l'entrée du camp, il pouvait voir les collines tout autour couvertes de filets de brume. Kamwembi était l'un des camps les plus hauts. Avec Mahereshò, c'était aussi l'un des camps qu'Antoine aimait bien. On y sentait peu la violence, et les déplacés, pas trop nombreux, semblaient avoir trouvé le moyen de vivre ensemble sans se déchiqueter. Mais il était toujours très difficile de connaître le chiffre exact des déplacés à Kamwembi. Ce camp avait élevé jusqu'à l'art du trompe-l'œil l'établissement de listes gonflées, et la construction de ce qu'Antoine appelait les « blindés fantômes », ces faux abris toujours vides, érigés pour faire nombre et grossir les distributions. Emmanuel, le chef de camp, avait toujours de bonnes explications à fournir. Les gens étaient partis travailler à un bout de champ, ou au marché vendre quelque chose, ou à une corvée d'eau, ou au dispensaire. Mais l'herbe sous les blindés fantômes n'était pas écrasée, il n'y avait pas de cendres ni de traces autour, et Antoine commençait à trouver qu'Emmanuel exagérait un peu.

Antoine gara le pick-up devant le bâtiment qui servait de stock, de bureau et d'habitation à Emmanuel. Celui-ci sortait déjà, souriant. Antoine le salua amicalement, devant les déplacés qui s'attroupaient un peu, mais pas comme un jour de distribution. Ils venaient voir le Blanc qui avait la clé de leur ventre, parce qu'ils n'avaient rien de mieux à faire, surtout les enfants. Emmanuel portait une sorte de bleu de travail en tissu léger, pantalon-veste très propre, ce qui n'était pas rien dans un camp de déplacés, et sa barbe courte qui lui donnait un petit air de Don Quichotte,

61

aspect souligné par un physique plutôt léger. Une autre chose très agréable avec Emmanuel, peut-être le secret du sentiment de sympathie qu'il éveillait spontanément, était qu'il ne sentait pas mauvais. Il était agréable de rester en sa compagnie. Le ciel commençait à s'alourdir au-dessus du camp, et Antoine entra dans le bâtiment pour aller s'isoler avec Emmanuel au fond du stock.

Le nombre de blindés fantômes avait explosé. Antoine n'était pas un imbécile. Ce camp allait bientôt devenir un camp fantôme. Peut-être Emmanuel allait-il devenir un fantôme ? Les fantômes ne faisaient pas peur à Antoine, et Antoine avait d'autres choses à faire que de perdre son temps à les compter. Et comme les fantômes n'avaient pas besoin de manger, peut-être que la solution était d'arrêter d'apporter de la nourriture à Kamwembi ?

Emmanuel avait écouté sans rien dire. Il semblait suivre des yeux en permanence l'aiguille des minutes sur la montre qu'Antoine portait au poignet. Quand Antoine eut fini de parler, un long silence s'installa dans la grande pièce où s'entassaient dans un coin les sacs de haricots et de riz du stock tampon. On entendait la rumeur égale et ouatée du camp qui semblait vivre au-dehors sans aucun rapport avec l'espace intérieur du bâtiment. Emmanuel, enfin, se leva et se dirigea sans se hâter vers la porte qui donnait sur son petit bureau personnel. Il en ressortit quelques instants plus tard, tenant un sac en plastique transparent qu'il vint déposer sur le pupitre d'école autour duquel les deux hommes étaient assis. Le sac en plastique était rempli de cartouches 7,62 de Kalachnikov.

« Monsieur Antoine, je dois vous remettre ceci. Je l'ai trouvé dans le camp, sous un blindé. Ce sont des choses qui sont utilisées par ce que vous appelez les fantômes.

Ces fantômes s'appelaient avant des Interhamwe. Ils viennent nous rendre visite la nuit, quand vous n'êtes pas là pour nous dire ce qu'il faut faire. Ils ont des armes, raison pour laquelle ce sont eux qui nous disent ce que nous devons faire. Souvent ils se cachent pour la nuit sous un blindé, parmi les déplacés. Ce sont eux qui nous disent de construire beaucoup de blindés, pour recevoir beaucoup de sacs, et prendre toute la nourriture qu'ils veulent ensuite. Monsieur Antoine, je peux faire enlever tous les blindés vides et refaire les listes, et les distributions seront plus maigres, mais alors les fantômes viendront la nuit prendre la nourriture dont nous avons besoin pour vivre. Je ne sais pas quoi faire. Peut-être pouvez-vous me le dire ? »

Antoine n'avait rien répondu. Il avait longuement écouté le bruit du camp, puis il avait pris le sac de cartouches pour l'apporter à la MINUAR, et s'était levé.

« Il y a suffisamment de blindés fantômes dans le camp pour que tout le monde vive. Ne nous oblige pas à voir ce qui se passe la nuit, et les distributions pourront continuer comme avant. »

Antoine sortit avec Emmanuel du bâtiment, tenant le sac de cartouches. Ils se serrèrent la main. Emmanuel souriait gentiment. La pluie menaçait toujours sans se décider à tomber. Antoine remonta dans le pick-up et sortit doucement du camp pour redescendre vers la ville.

Emmanuel n'avait pas bougé. Il regardait la voiture d'Antoine s'éloigner et redevenir une chose sans importance qui allait bientôt sortir du camp et disparaître.

Tu es venu me voir aujourd'hui, Muzungu. Tu es monté dans ta voiture blanche pour venir me dire ce qu'il faut faire et ce qu'il ne faut pas faire. Tu as compté les blindés et tu as compté les gens et tu as compté les sacs, et tu as réfléchi dans ton lit le soir, dans la ville en bas, et tu as décidé de venir me dire le nombre de blindés qui est bien, et le nombre qui est mal, car tu connais les chiffres du bien et du mal, Muzungu. Tu commandes aux camions et tu règnes comme un grand roi sur nos ventres. Tu commandes à ceux qui sont encore vivants, mais tu ne sais pas qui sont les assassins parmi nous. Quand les assassins qui se cachent dans les forêts viendront cette nuit réveiller les assassins qui se cachent ici, tu dormiras avec les autres Bazungus. *Où seras-tu quand ceux qui savent qui je suis viendront prendre leur nourriture chez nous en nous montrant leurs armes ? Où es-tu la nuit, Muzungu ? Où étais-tu pendant la grande nuit où nous sommes tous morts, même les survivants ? Où étais-tu ce matin d'avril où Suzanne est rentrée en courant du marché sans avoir rien rapporté de ce qu'elle voulait acheter ? « Ils tuent les Batutsis partout dans la ville » ; c'est ce qu'elle nous a dit. Elle nous a dit aussi qu'elle avait vu Narcisse, avec qui j'avais travaillé à la fabrique de thé et qui était mon ami, et à qui j'avais donné un jour une jeune vache. Narcisse l'avait reconnue dans la rue près du marché. Il était avec un groupe d'Interhamwe et tous avaient des machettes, et il y avait déjà du sang sur les machettes et sur leurs habits. Narcisse lui avait dit qu'ils allaient venir chez nous pour nous couper et Suzanne, malgré le bébé qu'elle avait dans le ventre, avait commencé à courir pour venir nous alerter. J'ai compris à ce moment-là, Muzungu, que les amis et voisins avec qui nous partagions l'eau et le pain depuis toujours avaient bien écouté les ordres de la Radio-télévision des Mille Collines, qui demandait à tous les Bahutus d'exterminer les Inyenzi. J'ai compris que le vrai nom de cette radio qui nous faisait peur chaque jour un peu plus, la RTLM, c'était « Radio-télé La Mort », et j'ai compris aussi, Muzungu, que j'étais un Hutu, et que Suzanne et Daphrose, ma femme, étaient tutsies. Nous nous sommes regardés, tous, et je te jure, Muzungu, que nous étions encore une famille à ce moment-là. J'ai dit à Daphrose et à Suzanne de prendre vite quelques affaires et d'aller chercher les enfants pour partir immédiatement. Suzanne a pris la photo de son mariage et la robe qu'elle portait ce jour-là. En regardant la photo je me suis souvenu comment cette journée avait été joyeuse pour nous tous. J'avais lu à l'église les troisième et quatrième chapitres de la première épître de Jean, et nous étions très heureux de cette belle parole. Nous avions chanté tous ensemble après. Il n'y avait pas de Hutu ni de Tutsi, ce jour-là, Muzungu. Suzanne m'a demandé si nous allions aller à Gitarama, où son mari Anastase était parti pour le permis de conduire, et je lui ai dit que je ne savais pas où nous pourrions aller, qu'il fallait juste partir vite de Rusatira. Suzanne a aidé Daphrose, sa sœur et ma femme, Muzungu, ma femme, à préparer un peu de nourriture à emporter car personne ne savait comment nous allions vivre maintenant. Quand nous avons entendu Narcisse qui appelait derrière la porte et d'autres voix que nous ne connaissions pas, ma femme Daphrose a laissé tomber le petit poste de radio qu'elle voulait emporter, et nous nous sommes tous regardés, Muzungu, et les enfants nous ont regardés, et Daphrose ma femme s'est placée devant eux. Nous étions paralysés et c'est eux qui ont ouvert la porte qui n'était pas solide en frappant dessus. Narcisse est entré avec un groupe très énervé, et j'ai repensé à la jeune vache que je lui avais donnée, mais j'ai vu dans ses yeux que cela ne servirait à rien de lui en parler. Il y avait du sang dans leurs yeux qui étaient très brillants aussi, et du sang sur leurs machettes qu'ils tenaient tous à la main, et sur leurs pantalons et leurs chemises. Narcisse était vraiment le plus énervé de tous, et je sais qu'il m'en voulait, Muzungu, parce que nous avions été amis et que j'étais hutu comme eux. Il a commencé à crier : « Ah, tu ne connais pas le premier des dix commandements du Hutu[1], tu vis sous le même toit que les Inyenzis et tu as épousé l'une de leurs femelles, et tu as engendré des Inyenzis ; nous voyons que tu es un traître ! »*

Tu sais, Muzungu, je crois que si j'avais été tutsi, et surtout si je n'avais pas été ami avec Narcisse, et si je n'avais pas été généreux avec lui, nous aurions tous été coupés rapidement, comme ils faisaient depuis le matin, et je serais aujourd'hui dans la paix du Seigneur avec ma femme Daphrose et nos enfants, mais je lui avais donné une jeune vache, raison pour laquelle il a cherché les actions les plus cruelles.

Il a regardé autour de lui et il a vu Suzanne qui tenait sa photo de mariage, alors il lui a donné un coup de pied et la photo est tombée, et quand Suzanne s'est baissée pour la ramasser, il lui a donné un coup de machette sur la tête, et elle est tombée aussi en criant. Elle avait beaucoup de sang qui s'échappait de son visage, et nous étions paralysés. Alors Narcisse a crié : « Ah, j'ai bien envie de voir comment sont faits les petits Inyenzis », et il a coupé le ventre de Suzanne avec sa machette, pendant que les autres Interhamwe la coupaient aussi sur les bras et la tête. Je me souviens, Muzungu, que bien qu'elle gémît beaucoup à cause du mal qu'on lui faisait, elle a essayé de protéger son petit dans son ventre jusqu'au bout, mais à la fin, Muzungu, son ventre était ouvert et Narcisse avait coupé son petit dedans. Nous étions paralysés devant le corps de Suzanne, et tout le sang. Daphrose ma femme tremblait et Espérance, Modeste et Elizaphan, nos enfants, pleuraient parce qu'ils aimaient beaucoup Suzanne et parce qu'ils avaient compris, Muzungu, qu'ils allaient mourir aussi. Daphrose ma femme se tenait toujours devant eux, et ils

---

1. Texte extrémiste hutu, fondateur de l'idéologie génocidaire, énonçant dix commandements que tout « vrai Hutu » se devait d'observer envers tout Tutsi.

s'accrochaient à ses jambes. Alors les tueurs se sont approchés, et Narcisse m'a dit : « Maintenant nous allons voir de quel côté tu es ! Tu es un traître puisque tu as épousé cette Inyenzi qui a engendré des Inyenzis, mais tu es encore hutu, raison pour laquelle nous devons te donner une chance de voir ta trahison, et de rejoindre les tiens ! » Narcisse s'énervait de plus en plus en me parlant, et il me menaçait avec la machette qui avait ouvert le ventre de Suzanne, et enfin il s'est approché de moi et il m'a tendu cette machette qui était pleine de sang, et il m'a dit en parlant très fort : « Montre-nous qui tu es maintenant. Si tu n'es pas capable de couper ces Inyenzis toi-même, nous te couperons avec eux car nous tuons les traîtres ! » Après, Muzungu, après, je ne sais plus ce qu'ont fait mes mains, je ne sais plus ce qu'ont vu mes yeux, et ce qu'ont entendu mes oreilles. Chaque nuit où je reste étendu sans trouver le sommeil, je me rappelle, Muzungu, que Daphrose ma femme m'a regardé en face jusqu'au bout, et je me rappelle aussi qu'Espérance ma petite fille, Modeste et Elizaphan mes petits garçons, n'ont pas cherché à s'échapper. Ils m'ont regardé m'approcher d'eux, Muzungu, et ils n'ont pas cherché à courir. Et maintenant, Muzungu, je suis là dans ce camp comme une ombre dans l'ombre, et je ne peux plus dormir. J'attends juste de pouvoir revoir Anastase, le mari de Suzanne, s'il a pu échapper aux tueurs. Si je peux le revoir, Muzungu, je lui dirai tout ce qui s'est passé ce jour-là, et je lui demanderai de m'ouvrir la tête d'un seul coup, et peut-être alors le Bon Dieu me pardonnera et je pourrai retrouver dans le ciel Espérance ma petite fille, Modeste et Elizaphan mes petits garçons, et Daphrose ma femme, et ils m'auront pardonné, et nous pourrons nous sourire, et nous serons à nouveau une famille. En attendant ce jour où je pourrai dormir à nouveau, Muzungu, je continuerai à m'occuper de tous ceux qui sont ici avec moi, et je continuerai à te prendre toute la nourriture que je pourrai, Muzungu, et je continuerai à parler avec les fantômes qui viennent nous voir la nuit, car je n'ai plus peur d'eux maintenant et ils savent qui je suis, et je continuerai à remplir nos ventres et à remplir leurs ventres, car nos ventres sont la seule chose qui est encore vivante à l'intérieur de nous, Muzungu.

Antoine avait garé le pick-up devant le PC de la MINUAR à Gikongoro. La sentinelle ghanéenne ne lui avait pas même posé de question. Le véhicule, manifestement humanitaire, et le statut d'Occidental qu'il portait sur le visage étaient suffisants pour le ranger du côté des gentils. Dans la pièce principale, un jeune officier d'artillerie bangladeshi, quelques officiers et sous-officiers parachutistes ghanéens, deux opérateurs radio canadiens et un officier autrichien d'Alpenjäger[1] s'ennuyaient. Au-dessus des radios des Canadiens, des fusils à pompe étaient accrochés, prêts à servir en cas d'attaque des autochtones. Antoine s'adressa à l'officier ghanéen le plus réveillé et déposa devant lui le sac de cartouches, commençant à lui en expliquer la provenance. Le petit parachutiste, qui portait un pistolet glissé dans la ceinture comme les gangsters, le coupa gentiment en lui expliquant qu'il n'était pas en charge des rapports, mais juste de « l'équipe d'intervention d'urgence ». Il désigna de la tête l'officier autrichien qui lisait tranquillement un gros livre en allemand. Antoine s'assit de lui-même devant le bureau de ce dernier et le salua en anglais. L'Autrichien le salua aimablement, repliant son livre. Il avait l'air plutôt content qu'on le tirât de son oisiveté. Il faisait assez lourd dans la pièce, et il ne portait qu'un débardeur militaire

1. Chasseurs alpins.

qui faisait ressortir sa peau blanche un peu grêlée de taches de rousseur. Il était blond pâle, et semblait avoir la quarantaine bien entretenue. Antoine présenta de nouveau le sac de cartouches, en reprenant son explication. L'officier y plongea une main et examina quelques cartouches qu'il remit rapidement dans le plastique qu'il ferma d'un élastique et déposa dans un coin derrière son bureau. Il ouvrit ensuite une sorte de main courante, sur laquelle il écrivit deux lignes, prit le nom d'Antoine, avec l'orthographe exacte, ainsi que sa fonction et le nom d'Intervention Directe, et referma le registre, s'étirant sur son siège, les mains derrière la tête, regardant Antoine avec curiosité.

« Personne ne lira jamais ces lignes, finit-il par dire doucement, continuant à regarder Antoine, dans la même position.

— C'est ce que je pensais. Mais je me suis dit que je ne pouvais pas garder ces munitions, et que vous étiez en quelque sorte le poste de police du quartier.

— Vous avez bien fait. Nous avons la responsabilité de récupérer ce genre de choses quand elles arrivent toutes seules sur notre bureau. Et de faire un rapport, bien sûr.

— Il y aurait beaucoup de choses à faire, dans les camps, si vous aviez envie de vous rendre utile. En tant que soldat, je veux dire.

— Oh, nous le savons. Nous aimerions tellement être utiles. Et ça ne serait pas si difficile que cela. Mais, voyez-vous, nous sommes des Casques bleus. Pas des soldats, des Casques bleus.

— Je vois, c'est dommage.

— Oui, c'est dommage. »

Ils parlaient en anglais, et ils n'avaient pas dit « c'est dommage » mais « *it's a shame* », et cette formule anglaise, permettant toute la distance et la résignation distinguée qu'une vieille civilisation peut accorder, avait sobrement clos le débat. L'officier autrichien alluma une cigarette, en offrit une à Antoine et le questionna, avec une sincère curiosité, sur son travail. Ils parlèrent ensuite de la France, puis de l'Autriche. L'officier était nostalgique de son pays. Il pensait souvent aux montagnes autrichiennes où il aimait chasser seul.

« Ici il y a de belles collines. Vous pourriez essayer de chasser. Mais bien sûr, ça manque un peu de vrai gibier. Il n'y a pas de grand gibier africain, au Rwanda. Je ne sais pas sur quoi vous pourriez tirer, à part des chèvres.

— Il y a bien les grands gorilles. Les fameux grands gorilles du nord du Rwanda. Mais il paraît qu'il n'en reste presque plus. Les déplacés les auraient eux-mêmes chassés pour les manger. Je me demande ce que l'on ressent en croisant un regard de gorille dans une lunette de visée. Peut-être presque un regard d'homme ?

— Qu'est-ce qu'un homme ?

— Oh, c'est la bonne question ! En Autriche, beaucoup de gens ont répondu à cette question sans difficulté. Quand le nazisme a violé ce pays, il y a eu une sorte de grand soulagement. Je crois que mes grands-parents ont été heureux, à cette époque.

— Pourquoi n'êtes-vous pas parti vivre ailleurs ?

— Les montagnes ne rentrent pas dans les valises, n'est-ce pas ? C'est un peu ridicule, mais je suis profondément attaché aux montagnes autrichiennes. Vous savez, à partir d'une certaine altitude, des notions telles que "Anschluss" ou "sous-homme" perdent toute consistance. L'histoire est un phénomène horizontal dont il est possible de s'affranchir, pour un temps, en s'élevant à la verticale. »

Les Canadiens, qui s'ennuyaient devant leurs crachotements hertziens, vinrent leur proposer des bières et des rations OTAN. Ils s'assemblèrent autour d'une table en bois. Les Ghanéens déjeunaient dans un coin avec l'officier bangladeshi. La conversation des Occidentaux se poursuivit, sur la chasse. Les Canadiens parlèrent de la chasse à l'orignal. L'Autrichien parla de la chasse au mouflon. Antoine buvait doucement des bières. La discussion devint un peu technique. Il s'agissait de savoir ce dont, chez l'animal qu'on traque, il faut le plus tenir compte pour réussir à l'approcher, l'odorat ou la vision. Pour les Canadiens, c'était l'odorat de l'orignal qui était au cœur de la tactique d'approche ; l'officier autrichien parla de l'exceptionnelle acuité visuelle des mouflons, paramètre déterminant pour les surprendre. L'œil ou le nez ? C'était bon de ne plus s'occuper des camps. Un après-midi de relâche, sans importance, sans poids.

Antoine rejoignit le reste de l'équipe juste à temps pour le dîner. Il se sentait lourd des bières descendues sans trop les compter. Tout le monde était fatigué. Il prit le temps de faire le point sur le chantier de Muko et le reste avec Julie et Olivier ; RAS. Quelques chauffeurs sortirent boire une Primus au cabaret du coin. Les autres partirent se coucher. Julie se plongea dans un gros roman russe, sous la moustiquaire de son lit. Il avait fallu mettre en route le générateur pour le dîner. Les coupures de courant, fréquentes et souvent longues, ne prévenaient pas. Mais l'électricité était revenue, faisant s'évanouir le bruit de tracteur de la machine, ainsi que l'odeur de gas-oil brûlé. Léa resta sous l'auvent, fumant tranquillement. Elle attendait le *zamou*[1], qui tardait. Il avait fallu changer plusieurs fois de *zamou*, déjà. Ils avaient tendance à s'endormir dans une cabine de camion dès que les *bazungus* partaient se coucher. La nuit était claire. On voyait déjà beaucoup d'étoiles. L'air doux apportait un parfum de terre chaude et de fertilité élémentaire. Il leur amenait également quelques bruits, voix de femmes et d'enfants venues des habitations proches, voix d'hommes échappées des cabarets, cris d'oiseaux, moteurs de véhicules traversant la ville pour remonter vers la frontière zaïroise. Il y avait les moustiques, aussi. Au début, ils prenaient tous leurs cachets de Paludrine et de Nivaquine, afin de prévenir la malaria, mais ils avaient arrêté, les uns après les autres. Il y avait quelque chose, dans ce qu'ils vivaient, dans ce qu'ils voyaient, dans ce qu'ils faisaient chaque jour, qui ne collait pas avec la prophylaxie.

Antoine s'assit à côté de Léa, dans un fauteuil en osier. La cigarette qu'il avait allumée lui permettait de juste être là. Le *zamou* arriva enfin. C'était un homme d'une quarantaine d'années, plutôt grand pour un Hutu. Il s'appelait Justin. Léa lui expliqua en quelques minutes ce que l'on attendait de lui, et Justin s'installa d'autorité sur une chaise qui faisait face, dans la cour, au parc de véhicules, à mi-chemin du portail de l'enceinte et de l'entrée de la maison. Léa ne semblait pas vouloir aller dormir. Antoine et elle restèrent sur le perron. L'obscurité découpait étrangement les formes des camions, les faisant apparaître telles de grosses bêtes assoupies dans la préhistoire.

1. Veilleur de nuit. Fonction indispensable au Rwanda pour les ONG ayant du matériel susceptible d'être volé.

« Les camions me manqueront, quand je serai rentré en France, dit Antoine doucement. Ils ont fini par devenir des compagnons familiers, fidèles et solides.

— Oui, moi aussi je m'y suis attachée. Mais j'ai toujours aimé les camions.

— C'est assez inhabituel, chez une femme.

— Mon père avait une petite entreprise de transport, avec quelques bahuts. J'ai terminé mon enfance dans des cabines de poids lourds.

— C'est pour ça que tu as pris le poste de coordinatrice logistique ?

— Peut-être. Je faisais déjà ça en Croatie, sur ma première mission, tu sais. J'aime bien organiser des convois et écouter gueuler les chauffeurs. On est dans la réalité, non ?

— "Mettre les mains dans le cambouis ?" Oui, c'est la formule qui convient, pour le coup.

— Elle nous conviendra encore plus au retour. Les clichés seront nos meilleurs amis, parce qu'aucun de nos amis ne voudra entendre la vérité. Et je sais de quoi je parle. Quand je revenais des premiers convois sur Sarajevo, j'avais l'impression que mes amis m'en voulaient d'avoir été voir là-bas ce qui s'y passait. Mais cela dit, le cambouis, le vrai, ça ne m'a jamais excitée. Je laisse ça à Blaise.

— Qu'est-ce qui t'excite ? »

Antoine n'avait pas réfléchi. La question était partie toute seule du bas-ventre, comme à l'époque des filles de la nuit. Maintenant il y avait le silence. Ce n'était pas un malaise, seulement un fil ténu qu'ils avaient commencé à dévider doucement dans le clair-obscur du perron, et qui venait de casser sans bruit. Antoine sourit pour lui-même et leva les yeux vers les innombrables étoiles qui scintillaient. Curieusement, ce fut à cet instant seulement qu'il repensa, pendant quelques secondes, à Emmanuel, qui était peut-être au même moment aux prises avec les fantômes.

Léa avait dû réfléchir dans son fauteuil. Elle tourna un peu la tête vers Antoine.

« Disons l'imprévu. Les hommes, par exemple, sont trop souvent prévisibles. Tu comprends ?

— Bien sûr. C'est la testostérone. Il n'y a rien de plus déterminant que l'hormone mâle, tu sais. »

Léa rit, avec un doux rire de gorge. Ils étaient réconciliés. Sur sa chaise, Justin releva la tête et les regarda un instant. Antoine était heureux de ne pas avoir perdu la camaraderie de Léa. Il avait besoin de la désirer, pas de la prendre, à la différence de Yasmina. En réalité, il y avait quelque chose de rassurant dans ce statu quo complice. Comme une promesse de bienveillance.

« C'est vrai que c'est ça qui détermine tout, la testostérone, reprit Léa. Regarde ici ; il n'y aurait pas eu huit cent mille morts en trois mois, sans cette chère hormone. Alexandre le Grand n'aurait sûrement pas conquis la moitié du monde, Christophe Colomb été chercher l'Amérique, ni Adolf écrit *Mein Kampf* sans elle, non ? Et sans elle, ma mère serait toujours vivante.

— Pourquoi ?

— Elle a été tuée par une roquette Katioucha tirée du Sud-Liban sur notre kibboutz à Kyriat Shmoneh. Alors que mon père avait survécu à la guerre du Kippour comme tankiste. Mais la testostérone, au Proche-Orient, elle bouillonne tous les jours.

— Tu es née là-bas ?

— Non, mes parents ont voulu vivre en Israël quand j'étais encore bébé. Après la mort de ma mère, on est revenus en France. Mon père a monté sa boîte de transport. Je crois que s'engueuler avec les chauffeurs, ça lui évitait d'avoir à parler. »

Antoine ne trouva rien à dire. Léa resta dans ses pensées. Ils étaient loin du sexe, maintenant. Les bruits du dehors avaient changé. Des cris lointains de bêtes et les appels d'oiseaux prenaient la place des voix humaines. Quelques véhicules roulaient encore. Les étoiles s'étaient déployées et vibraient de manière douloureuse. Justin commençait à piquer du nez. Léa bâilla et s'étira. Elle regarda sa montre. Il était tard. Ils échangèrent un « bonne nuit ». Antoine ferma les yeux sur sa chaise, et respira profondément l'odeur de la nuit africaine qui lui disait que tout est possible.

Le chantier de Muko achevé, les camions avaient pu reprendre le chemin du camp. Ce succès avait donné des idées aux chauffeurs qui s'embourbaient, et les pistes de deux autres camps furent remblayées sur le même principe : « Si vous voulez qu'on vous apporte à manger, mettez-vous au boulot. » Olivier prenait de plus en plus d'assurance, et il faisait souvent équipe avec Julie. Ils avaient l'air de bien fonctionner ensemble, et les blagues sur leur « couple » commençaient à circuler. Régulièrement, il fallait quand même aller chercher un camion enlisé ou calmer un camp, mais c'était la routine, d'autant que la saison des pluies se perdait dans des éclaircies de plus en plus fréquentes. Antoine laissait Olivier et Julie ensemble le plus souvent possible. Délivré de son personnage d'instructeur qui l'avait surtout instruit sur l'insuffisance de ses propres certitudes, il recouvrait la liberté des premiers jours. La dernière fête du samedi avait ravivé en lui des pulsions qu'il noyait en passant ses journées dans les camps les plus instables, à palabrer avec les crapules, ou simplement à être là, évaluant, gênant par son simple regard les trafics. Il avait trop bu à la dernière fête du samedi. Il avait regardé Yasmina danser, et il avait vu les autres types qui la dévoraient des yeux. Il avait un peu cherché à s'accrocher avec l'un d'eux pour avoir une raison de le frapper, mais ça n'avait pas été pris au sérieux. Antoine s'était vite senti ridicule et avait commencé à boire et à scruter l'obscurité qui entourait les étoiles, à l'entrée du bâtiment où la bringue avait élu domicile.

Domitille, la cuisinière, apprit un matin la mort d'un de ses frères. La nouvelle la surprit, car il était décédé de mort naturelle, ce qui constituait en soi un événement remarquable. Le frère était mort dans une maison à la sortie de Gikongoro, et le corps y reposait encore. Ce qui restait des parents, jusqu'aux cousins et cousines, était venu à pied de Butare pour aider Domitille et sa fille à préparer l'inhumation. L'enterrement devait se faire dans le jardin de la maison où il était né, ainsi que Domitille, à l'écart d'un village entre Cyanika et Butare, et où vivait encore l'un des oncles. Antoine se proposa pour emmener le cercueil et la famille sur place. Le matin de l'enterrement, il alla, guidé par Domitille, dans la maison du frère à Gikongoro, où tout le monde attendait. En entrant dans la pièce commune, il vit le corps, qui n'était pas encore dans le cercueil de bois grossier à peine achevé. Selon l'habitude rwandaise, la dépouille avait été enroulée dans une sorte de long panier tressé. Antoine fut frappé, une fois encore, par sa petite taille. C'était quelque chose qui ne cessait de le surprendre. Depuis son arrivée, presque chaque jour il voyait des cadavres dans les camps, parfois allait les chercher sur les pistes ou dans les collines, et toujours était surpris : les

Rwandais, morts, semblaient n'avoir jamais que des corps
d'adolescents ou de vieillards ratatinés. Presque en silence,
le défunt, allongé dans le cercueil, fut chargé sur le plateau
du Toyota. Domitille et sa fille prirent place à côté d'Antoine, dans la cabine, et tous les autres, près d'une douzaine
de personnes, à l'arrière, avec le cadavre. Antoine était
inquiet. Cela faisait beaucoup de monde sur la voiture, et
il craignait de verser sur la piste. Les Rwandais semblaient
ne pas voir le danger. Mais qui pense à mourir un jour
d'enterrement ? Le soleil était plein de force. Antoine sortit doucement de la ville avec sa charge de vivants sur un
mort, et prit la direction de Cyanika. Il roulait aussi pré-
cautionneusement que possible, sentant le pick-up se désé-
quilibrer et tanguer dans les virages et les cahots de la piste.

La mort devait être épuisée, car elle n'eut pas la force
de faucher ce pauvre corbillard. Guidé toujours par Domitille, Antoine, roulant lentement sur des pistes qui devinrent des chemins, puis des sentiers, finit par atteindre la
maison en lisière de forêt où allait reposer le défunt.
Inconscients du miracle qu'avait été leur voyage, tous les
Rwandais mirent pied à terre et portèrent le cercueil dans
le jardin derrière la petite maison, là où une tombe avait
été creusée. Une chaleur lourde pesait maintenant sur les
collines. L'oncle accueillit tout le monde et s'avança pour
remercier Antoine, puis présenta un jeune pasteur qui
tenait une bible à la main. La famille se rassembla, formant
un demi-cercle autour du cercueil, de l'autre côté duquel
se tenait le pasteur. Celui-ci commença la cérémonie par
un discours, d'une voix claire, sur l'importance de leur
présence, à tous, en ce moment. Antoine avait chaud, au
point d'avoir du mal à respirer. La tête lui tournait. Il s'était
d'abord tenu dans le jardin, un peu en retrait du groupe,

puis avait pris le prétexte de se désaltérer à la cruche à eau posée sur une table en bois, à l'intérieur, pour les laisser entre eux. Assis dans l'ombre fraîche de la maison, il se sentit mieux. Hormis la table en bois, il n'y avait dans la pièce que trois chaises, également en bois. Les murs étaient nus, et le sol, de terre battue, était aussi dur que la pierre. La cérémonie se poursuivait. Il entendait distraitement les passages des Écritures, les psaumes, les chants et les bénédictions. Il se sentait parfaitement étranger à ce qui se passait à côté, dans ce jardin. Ces gens enterraient ce mort comme si de rien n'était, comme si des centaines de milliers d'autres n'avaient pas pourri dans l'oubli, été ensevelis dans des fosses au bulldozer ou dévorés par des chiens. L'absurdité surréaliste de tout cela relevait de la nécessité. Après l'horreur, il faut trouver une manière de continuer. Mais on ne devient pas rwandais par la grâce de la compassion, et Antoine ne pouvait pas faire comme si de rien n'était.

Au bout d'un temps qui parut très long à Antoine, les voix se turent dans le jardin, et il entendit le bruit du cercueil que les hommes descendaient dans la tombe, et celui de la terre que l'on jetait dessus. La famille entra dans la maison et se sépara avec des gestes silencieux. Le pasteur vint saluer et remercier Antoine, qui répondit aussi poliment que possible. L'après-midi, d'après le soleil, était largement entamé. Antoine avait faim. La plupart des parents restaient sur place. Domitille et sa fille remontèrent dans le pick-up pour rentrer sur Gikongoro. Ils ne s'attardèrent pas.

C'était un plaisir de rouler normalement, dans une voiture redevenue maniable. La lumière descendait rapidement, à mesure qu'ils revenaient vers la ville. Alors qu'ils repassaient par la patte-d'oie de Cyanika, Antoine vit un pick-up avec le sticker de MSF qui arrivait en face, en provenance du grand camp du même nom. Il ralentit pour faciliter le croisement. Assise sur une ridelle du plateau arrière, il vit Yasmina. Ses longs cheveux noirs, bouclés, accrochaient les reflets du soleil couchant, et se rabattaient pour quelques secondes sur son visage, par la fantaisie du léger vent du soir. Il y avait quelque chose d'offert dans la posture instable et dansante de son corps, vêtu d'un pantalon de toile et d'un tee-shirt qui laissait deviner la pointe de ses seins. Au moment où les voitures se croisèrent, elle lui fit un sourire joyeux, presque un rire, et un signe de la main, auquel il répondit. Jusqu'à ce que la poussière de la piste l'en empêchât, il regarda la silhouette blanc et brun qui diminuait dans le rétroviseur. L'air qui amenait déjà le calme de la nuit et le silence triste de ses passagères aidèrent le désir d'Antoine à rejoindre le rêve d'amour qui courait parmi les collines.

Antoine retourna, pour voir, à Kamwembi. Arrivé au camp, il arrêta sa voiture en lisière et monta, seul, sur un talus qui surplombait le site. Il faisait chaud et il clignait des yeux dans la lumière. Il s'assit au milieu de la végétation maigre et sèche et regarda. C'était bien fait. On ne voyait rien si on ne jetait qu'un coup d'œil. Si on connaissait bien le camp et si l'on comptait attentivement, on s'apercevait qu'il y avait trois blindés fantômes supplémentaires. Trois, ce n'est pas grand-chose. Trop peu pour en faire une affaire. Trop peu pour déranger l'équilibre instable établi entre l'appétit des fantômes et la faim des survivants. Il faudrait vraiment être un *Muzungu* qui veut jouer au Blanc pour menacer de misérables déplacés pour trois blindés de plus ou de moins, et lesquels d'ailleurs ? Antoine regardait les enfants qui couraient après des chèvres étiques. Il vit Emmanuel qui venait vers lui, de l'autre bout du camp. Emmanuel grimpa à son tour sur le talus et vint s'asseoir à ses côtés, en silence. Il portait son bleu de travail. Sur la plage, à Ceylan, Desthin et Maha Lali faisaient pareil. Ils venaient s'asseoir à ses côtés, sans rien dire, et regardaient dans la même direction, celle du *Périolos*, rouillé et battu par les vagues. Antoine, au bout de quelques minutes, secoua la tête et sourit. Qu'ils aillent au diable. Il se tourna vers Emmanuel et, comme s'ils poursuivaient la conversation qu'ils n'avaient pas commencée, demanda à celui-ci s'il pouvait lui fournir une évaluation précise des besoins urgents en produits non alimentaires. Emmanuel réfléchit un peu, puis lui répondit qu'avec les pluies et le froid des collines, la nuit, des couvertures et des bâches, surtout pour les nouveaux arrivants, seraient très utiles. Antoine lui demanda un chiffre. Emmanuel lui en donna un, en le corrigeant – pour être précis, dit-il – légèrement à la baisse, après réflexion. Antoine sourit encore et le remercia. Ils se levèrent et se saluèrent. Antoine repartit dans la chaleur qui montait. À Gikongoro, il passa voir Paul à l'entrepôt pour qu'il lui mette de côté les couvertures et les bâches, en diminuant d'un tiers les quantités données par Emmanuel. Paul semblait en forme. À la base, il demanda à Léa de prévoir le chargement et la livraison pour Kamwembi pour le lendemain.

Le samedi matin, ils furent réveillés par les chants de guerre du FPR. Des soldats du Front avaient élu domicile dans une grande maison abandonnée, assez proche de la leur. Avec la discipline étonnante qui faisait leur force, ils couraient souvent, au petit matin, en peloton serré, torse nu, portant parfois, levé à bout de bras, un Kalachnikov, et toujours rythmant leur exercice de chants de guerre.

Une forme de vacuité s'offrait à l'équipe rassemblée autour du petit déjeuner. Aucune urgence, aucune livraison, aucune distribution ne requérait leur présence ici ou là. Blaise et les chauffeurs décidèrent d'en profiter pour passer tous les camions à la fosse, au garage : vidange et contrôle du parallélisme, avec quelques bières pour la route. Léa s'installa dans une chaise longue sous l'auvent, à portée d'oreille de la HF calée sur le canal d'urgence des ONG, au cas où. Olivier et Julie partirent pour Kinama, un petit camp en lisière de la route goudronnée de Butare, à la sortie de la ville, là où, le samedi, villageois et déplacés se mêlaient sur un marché improvisé. Ils montèrent dans le camion préféré de Dom, un petit Mitsubishi qu'il utilisait spécialement pour ce camp qu'il affectionnait particulièrement, et où il préférait aller passer son samedi plutôt qu'avec les autres chauffeurs, car il n'aimait pas la mécanique, ni le cambouis. Le chef de camp de Kinama, qui s'appelait Joseph, avait été surnommé, pour son habitude de se gratter le bas-ventre très souvent et en particulier pendant les discussions sérieuses, « Joseph gratte-couilles », et ce surnom contribuait beaucoup à faire de ce modeste camp un endroit où l'on pouvait sourire au milieu du pire, ce qui faisait du bien.

Antoine aussi décida d'aller se balader au marché du samedi, mais il préférait celui de Gikongoro, plus grouillant, plus odorant, plus sale. Il emporta un handset[1] VHF, en cas d'urgence.

La pluie nocturne avait trempé les ruelles de la basse

---

1. Talkie-walkie.

ville. La place du marché, entourée de baraques, était pleine de monde. Venus de loin – certains faisaient une quarantaine de kilomètres à pied, en partant dans la nuit – les villageois des alentours, assis devant des nattes qui faisaient office de boutique, proposaient le produit d'un lopin de terre, un peu de thé, des objets artisanaux. Sur les étals plus hauts des vendeurs de la ville, qui avaient leur place, avec trépied et planche de bois, pour tenir commerce, on trouvait les mêmes choses, et beaucoup d'autres aussi : tissus, vêtements et chaussures d'occasion, viande de chèvre et de vache, outils divers, aide humanitaire (riz, sorgho, haricots, huile, bâches plastique, couvertures, ustensiles de cuisine), boîtes de médicaments périmés, paires de lunettes, pneus de voitures et de camions, rations de combat de l'armée française abandonnées dans l'opération Turquoise, herbe et résine de cannabis d'excellente qualité, et tout ce qui avait pu être pris dans les maisons de ceux qui étaient morts, et qui pouvait se vendre.

À côté et autour de la place du marché, un dédale de ruelles puantes, ornières à gadoue et détritus, séparait les bicoques en bois où l'on fabriquait, vendait et consommait la gwa gwa, l'alcool de banane. C'était le coin des épaves, le lieu exclusif des hommes. Antoine s'y engagea, pataugeant dans la boue, pénétrant au hasard dans l'un ou l'autre des bouis-bouis sombres, enfumés, nauséabonds. Dans chaque pièce, les hommes, debout, accroupis ou assis, vêtus de linges sales, parfois de loques, coiffés de petits chapeaux, étaient massés autour des grands récipients de plastique ou métal qui contenaient le tord-boyaux. Ils en remplissaient des boîtes de conserve, et aspiraient ensuite l'alcool avec de longues pailles. Antoine ne voyait pas, dans l'ombre, le nombre exact d'hommes qui se tenaient là. Il voyait leurs yeux injectés de sang, leurs sourires édentés, leurs rires abrutis. Les regards qui le dévisageaient en silence lui parlaient de sa mort, de son assassinat, tellement possible, tellement lisible sur chaque visage. Les choses avaient dû commencer comme ça, quelques mois auparavant. Le cerveau reptilien de ces hommes, brûlé à l'alcool, gonflé de sang, avait dû, sur un mot, une phrase, un slogan qui avait couru comme une traînée de poudre, les mettre debout, titubant, riant, et les envoyer, une machette à la main, vers une orgie sauvage de sang et de cruauté, dont certains frissonnaient encore. Antoine, au bout d'une demi-heure plus oppressante que dans le plus dangereux des camps, s'échappa des ruelles.

Il y avait déjà beaucoup de 4 × 4 garés dans tous les sens devant le plus large des bâtiments bas qui avaient été avant les massacres un orphelinat, et servaient maintenant de base à l'équipe MSF de Gikongoro. Une odeur de grillade flottait dans l'air du soir. Des rires, des éclats de voix et les vibrations de basse de techno-dance s'échappaient des fenêtres ouvertes et illuminées de la grande salle. Antoine entendit aussi, en descendant de voiture, le bruit du gros générateur que couvrait la rumeur de la fête. Devant l'entrée principale, un barbecue tournait en régime de croisière, occupant un petit groupe, Irlandais, Belges et Français de l'association Équilibre. Antoine salua quelques connaissances. Blaise et Didier, avec qui il était venu, s'arrêtèrent pour manger de la viande grillée avec eux. Une franche camaraderie unissait l'équipe d'Intervention Directe et celle d'Équilibre. Ils avaient en commun l'esprit routier, et ne manquaient jamais de se dépanner à l'occasion. Les poids lourds d'Équilibre étaient les bienvenus dans le garage de Blaise. Antoine monta les marches et pénétra dans la grande salle. La musique était forte. Beaucoup dansaient déjà. Dans un coin, des fauteuils et des chaises avaient été rassemblés pour faire une sorte de salon. Les plus expérimentés s'y posaient un moment, un verre à la main. Voir venir, discuter, se chauffer, avant de lâcher les chevaux. Une longue table, à gauche de l'entrée, offrait à qui voulait le nécessaire : bière Primus en packs, whiskies, gin, vodka, quelques jus de fruits, et un carton rempli de préservatifs. Antoine rejoignit dans les fauteuils un groupe animé qui réunissait Olivier et Julie, un médecin vénézuélien et deux infirmières françaises de MSF, trois Irlandais d'une ONG catholique de Dublin et une Norvégienne qui travaillait pour l'Office de coordination des Nations unies et qui venait d'arriver à Gikongoro. Antoine, enfoncé dans son siège, chercha des yeux Yasmina, mais elle ne semblait pas être arrivée. Il vit Léa, accompagnée de Dom, qui franchissait l'entrée et se servait sur la table. Dom, le beau voyou, avait dans sa manche deux atouts gagnants aux yeux de Léa, se dit Antoine : il était imprévisible et n'aimait pas, lui non plus, le cambouis. Que les petits angelots du paradis veillent sur eux. Il vit également, en train d'entreprendre une nutritionniste et une infirmière belges, Philippe et Hughes. Hughes était le plus jeune des chauffeurs d'ID. Avant, il militait dans les usines pour Lutte ouvrière. Il avait dû en avoir assez de la discipline, de l'ombre et de la froideur des cellules révolutionnaires trotskistes. La lumière et la chaleur africaines, ainsi que l'effrayante liberté qui était la leur, semblaient l'avoir réveillé au monde. Il s'entendait comme larrons en foire avec Philippe, l'ancien para de Carcassonne. Sur la piste, la chaleur commençait à monter. On dansait de plus en plus collés, les tee-shirts se trempaient de sueur, les mains se baladaient, les canettes de bière vides étaient repoussées par les pieds comme des boules de billard, s'entrechoquant dans l'indifférence générale. Blaise et Didier rejoignirent finalement, autour des filles, Philippe et Hughes. Antoine vit entrer, par la porte de la cuisine, au fond, Yasmina. Elle était vêtue d'une jupe large mi-longue et d'un débardeur, couleur ivoire tous les deux. Comme toujours, ses seins étaient libres. Ses pieds étaient nus dans des sandales de cuir, et ses cheveux tombaient en cascade bouclée sur ses épaules. Instantanément, Antoine ne fut plus capable que de penser au sexe avec elle. Olivier discutait avec les Irlandais de Dublin sur la notion de *commitment*, d'engagement. La question qui l'occupait était celle du prochain. Il se demandait si le prochain, celui que nous devons aimer comme nous-même, était l'autre, ou bien le proche. Les Irlandais lui répondirent qu'il fallait d'abord s'occuper de sa famille, et ensuite des autres. Olivier hochait la tête et Julie s'amusait beaucoup de son sérieux. Le médecin vénézuélien aussi, qui avait une bonne descente et qui déclara qu'il préférait rester à Gikongoro s'occuper des autres plutôt que de rentrer à Caracas s'occuper de sa famille, une bande d'imbéciles qui ne pensaient qu'à vivre comme les Yankees. Justement, c'est à ce moment que Paul franchit l'entrée, apparemment d'humeur festive. Il était accompagné d'une jeune blonde en short kaki, qui aurait pu être vraiment belle si elle n'avait pas eu les jambes un peu arquées. « Elle vient du bureau de Caritas en Autriche », glissa Julie, qui parvenait à tenir à jour le *who's who* de la communauté humanitaire de Gikongoro, à Antoine. Paul attrapa un pack de bières sur la table, avec un naturel beaucoup plus américain que catholique. La déléguée norvégienne racontait qu'elle avait dû faire la route elle-même, au volant d'un gros 4 × 4, de Kigali à Gikongoro. Dans sa bouche, cela semblait une sorte d'aventure extrême, un Paris-Dakar sans assistance, avec *Tintin au Congo* comme *road book*. Les infirmières de MSF lui répondirent qu'elle avait de la chance de pouvoir prendre la route toute seule. Elles, elles devaient toujours être accompagnées, à cause des procédures de sécurité, et c'était pas comme ça qu'elles arriveraient à aller danser au *Kigali Night*. Le médecin vénézuélien se proposa pour leur servir de chauffeur, à condition qu'elles s'engagent à ne rien faire sans préservatif, dans ce *Kigali Night*. L'affaire fut solennellement conclue par une double poignée de main. Heureusement que les toubibs sont là pour nous rappeler que le Rwanda est aussi un des pays d'Afrique les plus touchés par le sida, se dit Antoine ; avec toutes ces histoires de massacres, on finirait par l'oublier. Il se leva pour aller se ravitailler en vodka. Yasmina, qui saluait ses admirateurs, l'aperçut et lui fit un sourire complice. Avant qu'il eût le temps de l'aborder, elle était déjà enlacée et entraînée sur la piste par un type plutôt beau gosse, mais que personne n'avait jamais vu sur le terrain. Antoine prit le parti de ne pas s'énerver, et traversa la salle pour aller chercher du feu dans la cuisine et se fumer une cigarette, assis sur le rebord de la fenêtre, avec son verre, le ciel et la nuit pour attendre. En entrant dans la cuisine, où un couple commençait à s'entreprendre sérieusement, il put voir un médecin, assis sur une chaise, le dos au mur et les pieds contre une armoire de réfectoire, en train de renifler une poudre blanche qu'il avait étalée sur le dos de sa main, entre le pouce et l'index. Il connaissait ce médecin. C'était un Breton, assez jeune. Peu de temps après son arrivée, Antoine lui avait amené, dans le dispensaire où un bloc de campagne avait été installé, un Rwandais qu'il avait ramassé sous un blindé. L'homme avait de sales blessures, faites à la machette. Son bras droit, presque sectionné, ne tenait plus au reste du corps que par la peau et la chair qui rejoignaient l'épaule. Sa cheville, son mollet et son tibia droit, déchiquetés, étaient gangrenés. La puanteur des plaies donnait des haut-le-cœur. Le médecin breton avait amputé le bras et la moitié de la jambe avant que l'homme n'ait eu le temps de comprendre. « J'espère qu'il est gaucher », avait-il dit avec un clin d'œil, grillant une cigarette avec Antoine pendant que le type, assommé par l'injection, remuait la tête comme pour s'opposer à ce qu'il ignorait encore. Antoine trouva du feu et s'installa sur la fenêtre. Le couple avait décidé de faire ça ailleurs, finalement. Un groupe entra et s'assit devant la table pour se rouler quelques joints. Un type au visage maigre et creusé − il s'appelait Pierre et était logisticien chez MSF − lui tendit un cône. Antoine secoua la tête en souriant. Il avait toujours préféré l'alcool, pour la brûlure. La cuisine devint vite un passage obligé, et Antoine, au bout d'un long moment où il était resté seul avec son verre vite fini et jeté au loin, ses pensées, ses cigarettes et ses étoiles, choisit de sortir en sautant de la fenêtre plutôt que de se frayer un chemin à travers la boutique aux substances. Il longea le bâtiment dans la nuit, marchant dans l'herbe rase, respirant fort l'air très doux. Il entendit un couple, assez proche, dans le feu de l'action. Il les chercha des yeux dans l'obscurité, mais ne les trouva pas. Il s'arrêta pour pisser sur la roue d'un gros 4 × 4 flambant neuf, peut-être celui de la Norvégienne, et repartit jusqu'à l'entrée principale, dont les marches étaient encombrées de corps plus ou moins animés. Le barbecue était éteint. Il pénétra de nouveau dans la grande salle. À ce moment, Philippe et un petit Irlandais massif étaient en train de se mesurer à la poussée de mêlée, car ils avaient découvert qu'ils étaient deux anciens rugbymen et qu'il fallait mettre les choses au clair. Philippe, fort comme un gorille, aurait probablement pu gagner le duel s'il avait moins bu, car l'Irlandais tenait mieux la charge que lui, mais il finit par s'étaler avec fracas sur la table de l'entrée, envoyant valdinguer toutes les bouteilles. Dans les hurlements de joie de l'assistance, qui félicita vaincu et vainqueur. Antoine se pencha pour ramasser, parmi les préservatifs qui nageaient dans la bière au milieu du verre brisé, celui qui avait l'air le plus sec et le glissa dans la poche arrière de son pantalon. Il cherchait Yasmina, mais ses yeux tombèrent d'abord sur Paul et l'Autrichienne. Paul, accroupi, martelait maladroitement un tam-tam, et la jeune blonde cherchait, devant lui, à reproduire une danse africaine, révélant une belle musculature de cuisse qu'elle avait dû développer en marchant dans les Alpes autrichiennes. Antoine se fit la réflexion qu'il devait penser à la présenter à l'officier d'Alpenjäger, son compatriote triste de la MINUAR. Peut-être pourraient-ils se promener ensemble, main dans la main, parmi les collines. Olivier et Julie s'étaient isolés dans un coin du salon, et l'on pouvait voir qu'Olivier avait lâché son catéchisme pour quelque chose de plus accessible. La musique techno cessa brusquement. Pendant quelques secondes, seul le tam-tam de Paul résonna dans la salle, puis quelqu'un remit en marche le lecteur, volume au maximum, et le rythme dionysiaque du *Didi* de Khaled emplit tout l'espace. Antoine vit Yasmina s'avancer au milieu de la piste, accompagnée par les sifflements et les applaudissements de l'assemblée, mâles et femelles confondus. Le beau gosse qui ne salissait pas ses chaussures dans les camps frappait des mains en accompagnant ses premiers roulis de hanches, cherchant à signifier

une presque intimité, mais elle l'avait déjà oublié. Elle retira
ses sandales pour les envoyer, d'un geste sûr, dans un coin
de la salle. Antoine, parmi le cercle, était entré en contem-
plation. Indifférents aux souillures et éclats du sol, ses pieds
nus et ses chevilles, tendus dans une pulsion intime, faisaient
monter du bas vers le haut, de plus en plus fort et avec toute
la science de ses reins, une captation affamée de chaque
vibration. Jusqu'à la fin du morceau, elle se donna ainsi à
la musique, abîmée dans ses spasmes, yeux fermés et doux
sourire sur un visage heureux, bras tendus comme un der-
viche, longs filets de sueur mouillant ses tempes, ses lèvres
et la grâce de son cou, pour aller alourdir ses seins, et tracer
une ligne fine qui se perdait au bas de son ventre, avec les
dernières notes.

Les femmes, tout autant que les hommes, avaient été
sous son pouvoir. Le déchaînement des hurlements qui
couronna la fin de sa danse permit à chacun de récupérer
son âme. Yasmina, après avoir mimé un salut de diva, marcha jusqu'à ses sandales, qu'elle remit paresseusement,
appuyée au mur. Alors qu'elle relevait la tête, elle croisa le
regard d'Antoine, fixé sans pudeur sur le plus troublant de
sa chair, et lui offrit en retour ce qu'un sourire de femme
peut promettre de plus élémentaire. Otis Redding criait
maintenant pour un peu de tendresse, couvrant le tam-tam.
Antoine vit, sur la piste, Léa et Dom, plus qu'enlacés et
presque ivres. Yasmina, félicitée au passage par les uns et les
autres, gagna la sortie où elle s'arrêta quelques secondes,
ignorant la table renversée, pour respirer l'air qui venait
adoucir les fièvres. Puis elle descendit les marches, longeant
le bâtiment dans la nuit, suivie d'Antoine. Ils marchèrent
l'un derrière l'autre, se rapprochant du bloc des douches.
Un peu avant d'y parvenir, Antoine saisit la main de Yas-

mina qui s'attardait derrière elle, et l'attira contre le mur d'angle du bâtiment des dortoirs. Yasmina, le dos au mur, se laissait mordre. Le goût de ses lèvres, de sa salive et de sa sueur était fort. La nuit s'approfondissait d'innombrables pulsations. On entendait les milliers de bruits et de cris de bêtes qui vivaient sans savoir. Un véhicule démarra et, contournant le bâtiment principal pour s'en aller, les caressa un instant de ses phares, transis comme sur une plage. Antoine enleva le débardeur de Yasmina pour dévorer enfin ses seins et recueillir toute la sueur qui les parfumait. Les yeux fermés, respirant bouche entrouverte, elle laissait la lune, quand Antoine reprenait son souffle, en révéler le galbe lourd et la tumescence des tétons. Ils titubèrent, elle, les seins nus sous le ciel, lui, gêné dans sa marche par son désir, vers le bloc des douches, y entrèrent et poussèrent une porte. Leurs corps s'écrasèrent contre le fond de l'un des boxes alignés, manquant de déclencher la douche, et ils tombèrent, agrippés, sur le sol de carrelage blanc. Antoine eut le temps, avant que Yasmina défasse son pantalon jusqu'aux chevilles pour le happer d'une bouche avide, de récupérer le préservatif dans la poche arrière. Il garda, serré dans sa main, le précieux caoutchouc, tout le temps qu'elle se dessoiffa de son membre, et tout le temps ensuite qu'il s'enivra de ses saveurs et de ses liqueurs secrètes. Quand ils en furent à l'achèvement, ce fut elle qui l'aida à enfiler le préservatif. Il savait maintenant que tout ce que l'on disait d'elle n'était pas vrai. Avant de devenir sourd, il eut le temps d'entendre encore le son du tam-tam de Paul, là-bas, qui semblait avoir largué les amarres, puis il n'y eut plus que les plaintes de Yasmina.

Ça avait commencé à la fin du dîner. Une douleur lancinante qui était montée, jusqu'à ce que Hughes, plutôt stoïque de nature, se résolve à annoncer qu'il avait un problème à une dent. Léa avait contacté, sur la HF, deux ou trois ONG médicales. Pas de dentiste. Finalement, c'était la MINUAR qui avait répondu. Il y avait trois dentistes militaires parmi le petit contingent australien cantonné à Butare. Ils étaient prévenus et attendaient les Français. Antoine prit le volant d'un Toyota pour emmener Hughes. La route vers Butare, de nuit, n'était pas rassurante, mais elle était assez rapide. Une vingtaine de kilomètres, avec la radio en veille. L'air était rafraîchissant et les phares, jusqu'à la ville, n'éclairèrent que des villages déserts. La sentinelle australienne, à l'entrée du camp militaire, était au courant et leur indiqua le bâtiment médical. Ils garèrent le pick-up à côté des Jeep et des véhicules blindés. Des militaires australiens passèrent, visiblement de retour des douches. En plus des serviettes et des bouteilles de shampooing, ils portaient tous, en bandoulière, leur fusil d'assaut chargé. Les trois dentistes, jeunes et plutôt sympathiques, les attendaient dans leur pièce-cabinet où des cantines ouvertes contenant leur matériel médical occupaient presque tout l'espace. Ils déposèrent leurs armes dans un coin, firent asseoir Hughes sur une chaise, et ensuite ce fut comme chez n'importe quel dentiste. Trois quarts d'heure plus tard, une molaire infectée avait été extraite, la gencive curée et nettoyée. Hughes, anesthésié, rigolait comme un idiot avec son sourire percé. Pendant l'intervention, Antoine était resté assis sur le seuil du cabinet, à fumer et à regarder les femmes soldates – il semblait y en avoir pas mal dans cette armée – aller et revenir des douches, souvent en short et maillot de corps, mais toujours avec leur

arme à l'épaule. C'étaient, en général, de belles filles spor-
tives, élancées, et cela faisait un peu drôle de les voir se promener avec un fusil d'assaut. Ils saluèrent les dentistes avec
force tapes dans le dos et promesses de retrouvailles avec
bière, et prirent le chemin du retour. Hughes était somno-
lent. Les anesthésiants de l'armée avaient l'air plutôt puissants. Antoine réussit à contacter Léa pour prévenir qu'ils
rentraient, puis laissa la radio en veille avec le squelch[1], afin
de profiter du calme de la nuit. L'air qui entrait par les
vitres à demi baissées était vif et doux à la fois. Les collines
et les forêts, à gauche et à droite de la route, semblaient
s'être retirées de quelques kilomètres pour laisser le véhicule seul avec les virages et les longues droites vides.

Antoine vit le barrage artisanal, fait d'une corde tendue
en travers de la route à laquelle étaient attachées des bouteilles en plastique, au dernier moment dans la lumière des
phares. Il enfonça la pédale de frein, débrayant à fond. Le
pick-up hurla et rua sur les côtés, avant de s'arrêter presque
sur la corde, un petit peu en travers. Antoine, dans un geste
réflexe, mit le levier de vitesse au point mort, avant d'enlever le pied de la pédale d'embrayage. Hughes avait ouvert
les yeux et demandé : « Putain, qu'est-ce tu fous ? » Avant
qu'Antoine pût lui expliquer, trois gosses surgirent de
l'obscurité et s'approchèrent de la voiture. Ils pouvaient
avoir entre quatorze et seize ans. Ils avaient des sandales aux
pieds, étaient vêtus de pantalons de treillis dépareillés et de
vestes militaires trop grandes, aux manches retroussées,
qu'ils portaient à même la peau. Chacun d'eux était armé
d'un Kalachnikov. Leurs déplacements et leurs gestes

---

1. Filtre de parasite : fonction supprimant les bruits de fond, utilisable
en mode veille sur les radios HF et VHF.

étaient lents, presque lourds. Quand ils furent assez près, Antoine vit leurs yeux injectés de sang et sut qu'ils étaient défoncés à mort. Le plus proche, qui semblait aussi être le plus âgé et le chef, fit signe à Antoine de baisser complètement sa vitre. Il regardait la voiture et les deux Blancs, et son corps oscillait imperceptiblement. Antoine n'osait pas parler le premier. Les deux autres gosses s'étaient placés négligemment devant la voiture, leurs armes à demi levées. Hughes ouvrait de grands yeux presque aussi défoncés que ceux des enfants soldats. Le plus grand, finalement, se décida à parler. Il se pencha un peu et demanda en français, avec une voix d'une effrayante douceur : « Pourquoi tu as arrêté comme ça ? » Antoine ne le quittait pas des yeux et essayait désespérément d'accrocher, dans le regard du môme, quelque chose qui soit connecté avec la raison. « J'ai vu le barrage au dernier moment. Je suis désolé », répondit-il en essayant de sourire. Un sourire qui se voulait un sourire d'excuse, de bonne volonté, de complicité. Le gosse sembla un instant prêt à y répondre, mais autre chose dut se passer dans son esprit, car à la place, il leva son Kalachnikov, passa le canon à travers la vitre, à cinq centimètres environ de la tête d'Antoine. D'un geste toujours paresseux, il arma la culasse de l'arme. Dans le silence et la solitude de ce bout de nuit africaine, le bruit métallique, définitif, résonna comme une explosion dans le cerveau d'Antoine. Le gosse ne disait rien. Il regardait Antoine de ses yeux disjonctés. Il oscillait en un léger déséquilibre permanent, mais parvenait toujours à garder son arme sur Antoine, le doigt sur la queue de détente. Antoine attendait. Il avait mis le levier de vitesse au point mort, oubliant en un réflexe la première règle de sécurité qu'il avait apprise en arrivant. Toujours rester en prise à un check-point, première passée, les deux

pieds sur les pédales, afin de pouvoir se dégager par surprise, pour sauver sa peau. Maintenant c'était trop tard. Il
serait mort avant d'avoir eu le temps d'esquisser un geste.
Ce n'était pas la peine non plus de penser à la radio, silencieuse et inutile. Hughes, confusément conscient de la
situation, répétait à mi-voix, recroquevillé : « Putain ça
craint, putain ça craint. » Antoine eut très clairement la
certitude qu'ils allaient mourir, maintenant, là, et être jetés
dans un fossé ou enterrés dans un coin, et personne ne saurait jamais. Ils allaient mourir et disparaître. Il lui sembla que
le temps se dilatait, et que le silence de cet instant et de cet
endroit précis était une bulle, une dimension de l'univers
en soi qui les séparait du reste du monde, à tout jamais. Il
attendait la rafale qui allait faire éclater sa cervelle. Il l'attendait dans chacune de ses cellules.

Le gosse, au bout de ce moment, retira doucement
l'arme de l'intérieur de la voiture, la laissa retomber, par
son simple poids, au bout de ses mains, vers le sol. Il continua à regarder les deux Blancs de ses yeux de somnambule,
puis réussit à articuler encore une phrase : « Il faut faire
attention. » Antoine mit un peu de temps à se ressaisir, puis
lui répondit d'un signe de tête, vigoureusement. Le gosse fit
signe avec indolence aux deux autres de se pousser et d'enlever la corde. Antoine fit un signe de la main et essaya de
sourire aux trois mômes en même temps, puis passa la première et démarra. Quand le check-point eut totalement
disparu dans la nuit, derrière eux, il prit conscience, avec
l'air qui entrait par la vitre baissée, que son tee-shirt était
trempé de sueur. La sueur dégoulinait de son cou, coulait
le long de ses bras, sur son torse. Elle venait imprégner
son pantalon et se perdre sur son siège. Il vit aussi que ses

bras, ses épaules, les muscles de son cou et de ses jambes tremblaient, et que rien ne pouvait arrêter ce tremblement.

La fatigue était arrivée sans prévenir. Antoine roulait sur la réserve sans le savoir depuis quelques semaines. Il était temps de prendre l'air. Philippe devait descendre quelques jours à Bujumbura, au Burundi voisin. Un voyage en camion pour ramener des *drums*[1] de gas-oil et des pièces détachées introuvables au Rwanda. Antoine décida, en accord avec Julie et Olivier, de descendre avec lui, histoire d'oublier les camps et de recharger les batteries. Ils partirent tous les deux très tôt, un matin, afin d'être sûrs de passer la frontière avant qu'elle ne ferme, en milieu d'après-midi, et d'éviter de rouler de nuit jusqu'à Bujumbura et la base arrière. Philippe avait chargé tous les *drums* vides sur le plateau du Mercedes, et ça faisait un bruit de camion de laitier alors qu'ils roulaient dans le soleil du matin. Antoine tendait son visage vers les rayons, accoudé à la portière, yeux fermés. Il écoutait distraitement Philippe qui lui expliquait que c'était comme au Tchad, quand il assurait avec sa compagnie le ravitaillement des postes français avancés, mais en mieux, parce que au Tchad, il n'y avait rien, que des pierres, sauf à N'Djamena, où il y avait des putes, mais elles étaient moins bien que celles que l'on pouvait trouver à Bujumbura. Antoine se demanda si au Tchad les camions français étaient aussi fatigués que le Mercedes 911 réformé de la Bundeswehr dans lequel ils roulaient. Toute la partie mécanique était solide, fiable, mais quand on était dans la cabine, sur l'un des sièges

1. Fûts.

défoncés, on avait l'impression d'être dans l'une de ces camionnettes de campagne réduites à l'essentiel. En guise de breloque, la clé du coupe-circuit était accrochée au rétroviseur. Une boîte à outils bien rangée servait de repose-pieds, avec quelques chiffons sales, et un petit jerrycan vide était coincé sous un siège. L'odeur chaude du moteur remontait par l'intérieur, pour être aussitôt chassée par le courant d'air des vitres toujours baissées. Il n'y avait plus de poignées pour les remonter. Bien après avoir passé Butare, ils s'arrêtèrent sur le bord de la route. Un « cabaret » au toit de tôle ondulée proposait des brochettes de chèvre et des Primus chaudes. Ils étaient les seuls Blancs de la clientèle. Philippe avait l'air heureux. Il était à son aise, en Afrique. La vie y était simple, comme à l'armée. Il n'y a pas besoin de bien savoir lire et écrire, pour un chauffeur-mécano blanc, en Afrique. Antoine essayait, en l'écoutant, d'imaginer ce qu'avaient pu être ses choix. Naissance à Carcassonne, avec la DDASS et une famille d'accueil pour apprendre à marcher. L'école qui va trop vite, puis l'alcool, le rugby et la castagne. Pour vivre, les saisons. Saison des vendanges, saison du tourisme, saison des petits boulots. La majorité et le 3e RPIMA[1] qui est là, depuis toujours. Des bérets rouges dans chacun des bars de Carcassonne. Le bureau d'engagement, les classes, le brevet para, des camarades qui se feraient tuer pour vous et une formation de conducteur poids lourds mécanicien. Sans oublier tous les voyages. Le 3e RPIMA, régiment d'élite, est toujours en campagne. Le Tchad, Djibouti, la Centrafrique, la Nouvelle-Calédonie, et les stages de jungle, en Guyane et au Gabon. Jamais le temps de s'ennuyer, de

1. Régiment parachutiste d'infanterie de marine.

réfléchir au temps qui passe. Les potes, les bières, les putes, les camions, la discipline et le béret rouge à ancre de marine. Au bout de dix ans, l'armée qui refuse le renouvellement de contrat. Manque de qualification. La professionnalisation des personnels est en marche. Plus de place pour les gros cœurs qui n'ont que des grosses mains. Philippe a rendu le béret rouge. Quelques mois de soûlerie, à boire sa prime de fin de contrat, puis un « padre[1] » du 3ᵉ RPIMA qu'il revoit par hasard, dans un bar, et qui lui dit qu'il y a une association « un peu comme la Croix-Rouge » qui recherche des chauffeurs pour l'Afrique. Des chauffeurs solides, qui ont l'habitude de voir des macchabées. Une adresse, un numéro de téléphone. « Appelle de ma part, je connais un des responsables. » Philippe a acheté un billet de train pour Paris. Le taxi l'a déposé, avec son gros sac militaire qui porte encore l'écusson de la 11ᵉ DP[2], au siège d'Intervention Directe. Un entretien avec le responsable du recrutement et une signature sur un contrat de volontaire humanitaire. Quatre jours plus tard, l'avion pour Bujumbura, en compagnie de quelques autres. Pendant le vol, Philippe s'était retrouvé assis à côté de Hughes. Une complicité d'ex-engagés volontaires les avait rapidement réunis.

Au poste frontière de Kanyaru Haut, Philippe et Antoine n'eurent à attendre qu'une demi-heure devant les baraques où une escouade du FPR faisait semblant de contrôler les passeports, avant de les rendre contre un paquet de cigarettes. Ils prirent la route nationale n° 1 et entamèrent la descente vers Bujumbura. Ils atteignirent les

1. Aumônier militaire.
2. Division parachutiste.

faubourgs miséreux de la capitale burundaise alors que le soleil déchirait de pourpre les nuages bas sur le ciel. Dans le quartier résidentiel de Kinindo, à l'écart du centre-ville, ils garèrent le camion sans décharger les *drums* dans le jardin de la petite maison qui servait de base arrière à Intervention Directe. Raphaël, le logisticien qui y était affecté en permanence, vint les accueillir. Par-dessus la clôture, le voisin les observait d'un œil triste. C'était un Belge vieillissant, qui usait son temps à veiller jalousement sur sa fille unique, encore jeune, qui était tout ce qui lui restait d'un mariage. On le disait négociant. Après une longue douche, ils montèrent dans le pick-up Nissan rouge de Raphaël pour aller dîner en ville. Le restaurant, sur deux niveaux, ressemblait à une grande case, et servait un très bon poulet. La clientèle burundaise était jeune, rigolarde et pas trop pauvre. Il y avait également plusieurs tables de *Bazungus*. Des humanitaires, des journalistes et quelques commerçants. Les regards se croisaient rapidement pour se jauger, s'identifier. Raphaël salua un camarade d'une ONG britannique. Les Burundais, sapés comme des princes, observaient les Blancs du coin de l'œil. Les papillons de nuit et les moustiques brouillaient la lumière des lampes accrochées à des poutres. Raphaël posait énormément de questions. Il s'était rendu à Gikongoro quelques jours, à l'ouverture de la base, afin d'aider à l'installation du garage, mais il ne connaissait pas les camps. Depuis, il n'avait pas bougé de Bujumbura, assurant la logistique de la mission, en contact avec le siège à Paris. Il sentait qu'il était resté derrière la porte de la chambre interdite, et s'en voulait. Julie, avec qui il avait partagé un temps la maison de Kinindo, était, elle, montée à Gikongoro, et passait ses jours dans les camps. Mais lui, que pourrait-il dire, à son retour en France ? Il ne ramènerait de sa mission aucune part de vérité. Antoine et Philippe essayèrent de le mettre à l'aise, lui racontant toutes sortes d'anecdotes, comme à un égal, un membre de la famille, et Raphaël, l'alcool aidant, s'abandonna finalement à cette chaleur. Ils rentrèrent tard, se perdant un peu dans les rues de Bujumbura étouffantes de moiteur, ivres et un peu tendus. La nuit, la ville pouvait vite être dangereuse pour quelques Blancs en vadrouille. Des gosses lancèrent des pierres sur la voiture, juste avant qu'ils ne retrouvent le chemin de Kinindo.

Le lendemain matin, Philippe et Raphaël partirent avec le pick-up chercher les pièces détachées que Blaise avait scrupuleusement détaillées sur une longue liste. Antoine resta dans la maison à dormir, devinant à peine le soleil à travers les volets clos de sa chambre. Vers quatorze heures, il émergea péniblement. Il sortit sur le perron, une tasse de café à la main, en short, avec le sentiment que la chaleur et la lumière du jour pouvaient remplacer toute pensée, pour toujours. Il fit le tour du camion afin de vérifier que personne n'y avait touché – mais que pouvait-on y voler ? – puis il alla chercher une bâche qu'il mit sur les *drums* vides. La fille du voisin, une blonde à la peau claire de Flamande qui pouvait avoir dix-huit ans, lisait un magazine, allongée en maillot de bain sur un transat. Elle le salua de la tête. Antoine passa le reste de l'après-midi à grignoter des restes, lire de vieilles revues, dormir encore, prendre une interminable douche et regarder le ciel, allongé dans l'herbe brûlée du jardin. Vers dix-neuf heures, Raphaël et Philippe revinrent. Antoine les aida à décharger le pick-up et à ranger toutes les pièces détachées, soigneusement emballées dans des caisses, au fond de la maison.

Aux alentours de onze heures du soir, ils quittèrent de

nouveau le silence de Kinindo. Après quelques détours et un trajet d'une vingtaine de minutes, le pick-up s'arrêta dans un quartier qu'Antoine ne connaissait pas. Raphaël expliqua qu'ils se trouvaient dans une zone grise, où se côtoyaient deux des gangs de la ville, les « sans-défaite » et les « sans-échec ». À quelques pas, des groupes de jeunes Burundais s'agaçaient autour de filles très jeunes, souvent belles, vêtues de minishorts, de boléros moulants ou de soutiens-gorge. Ces filles, depuis longtemps, avaient pris l'habitude de répondre, si on leur demandait ce qu'elles faisaient dans la vie, « je fais coiffeuse ». C'était devenu le surnom des prostituées, à Bujumbura. Ils passèrent les groupes sans s'arrêter ni répondre aux appels des unes et des autres, et entrèrent dans une boîte où Raphaël avait apparemment ses habitudes, et qui s'appelait le *Black and White*. Ils s'assirent à une table de bois. On leur apporta une bouteille de whisky. La musique afro-beat était forte. Un simple coup d'œil suffisait pour voir qu'il y avait beaucoup plus de black que de white, autour d'eux. Il y avait pas mal de coiffeuses, aussi. Philippe avait commencé à charger la mule avec toute l'expérience d'années de dégagements outre-mer. Raphaël discutait en copain avec trois filles qui les avaient rejoints, et remplissait leurs verres. On pouvait apercevoir quelques Blancs, sur la piste de danse ou assis, toujours entourés de filles. On pouvait aussi percevoir les regards et l'hostilité des Burundais. Antoine, qui avait appris à déchiffrer, à estimer en permanence cette hostilité, avait du mal à se détendre. Philippe n'avait peur de rien et se foutait de tout. La bouteille se vida rapidement. Une autre vint la remplacer. Les filles étaient entreprenantes. Il faisait très chaud. L'une des filles ne parlait qu'anglais. Elle ressemblait à une Tutsie, mais n'était pas tutsie. Antoine, avec l'art des questions douces appris dans les camps, découvrit qu'elle était nigériane, de Lagos. Elle était descendue à Bujumbura parce que avec tous ces humanitaires et ces journalistes blancs qui débarquaient, il y avait de l'argent à se faire vite et bien, pour une belle fille. Après, elle retournerait à Lagos faire un bébé. Elle avait un fiancé, là-bas. Elle se faisait appeler « Bijou » et était, en vérité, un authentique bijou. Larges yeux sombres, tresses lourdes comme ses seins dressés par une magie africaine, taille d'Antilope, croupe parfaite, et deux lèvres boudeuses et souriantes à la fois. Philippe avait assis les deux autres filles sur ses genoux. Raphaël l'encourageait. La bouteille était à nouveau vide. Ils se levèrent et traversèrent, leurs conquêtes accrochées aux bras, la foule compacte des Africains qui ne les aimaient pas. À l'air libre, ils s'arrêtèrent un moment sur le trottoir brûlant. Une adolescente en minishort rouge roulait ses fesses en riant, un peu ivre, devant deux Burundais sûrement trop pauvres pour se la payer. En regardant cette fille, Antoine comprit qu'elle ne deviendrait jamais vieille, et qu'il n'y avait, sur ce bout de bitume où ils flottaient, dans l'alcool et la chaleur de la nuit, que des naufragés. Bijou le tira par le bras et l'entraîna plus loin. Raphaël avait engagé une discussion avec un Blanc aux cheveux frisés, âgé d'une cinquantaine d'années, costaud, en short et baskets, qui fumait une cigarette assis sur les marches d'un immeuble délabré presque mitoyen du *Black and White*. L'homme se leva, salua de la tête Antoine et Philippe, puis annonça qu'il allait voir s'il y avait deux chambres de libres. Raphaël, qui semblait bien le connaître, leur expliqua que c'était le souteneur des filles du quartier. Avant d'être souteneur à Bujumbura, l'homme avait été radionavigateur dans l'armée de l'air française. Il était respecté par les gangs qui se disputaient les quartiers car il ne cherchait pas à étendre son territoire, et surtout était le fournisseur d'armes le plus fiable de la ville, ce qui était précieux pour tout le monde. Il redescendit rapidement et donna aux filles deux numéros de chambre. Raphaël annonça qu'il les attendait en bas. Philippe monta le premier avec ses deux tapins. Antoine suivit Bijou dans l'escalier sale et étroit, laissant sa croupe le tirer par le bout du nez. Ils croisèrent une fille qui redescendait et salua Bijou, puis un Blanc mince à lunettes, qui échangea un bref sourire avec Antoine. La chambre était un bric-à-brac de grenier abandonné, avec au centre un matelas à même le sol, recouvert d'un drap rêche et taché. À côté d'un vélo désaxé, d'un portemanteau surchargé de vieilles robes et d'un amas de bouteilles vides, il y avait, posée sur le sol, une sorte d'œuvre d'art symbolique. C'était un petit barrage routier fait en bois, une réplique de ceux utilisés par la police ou les entreprises de BTP. Sur la petite planche transversale peinte en noir, il y avait écrit, en blanc et en français, le mot « putain ». Antoine voulut déshabiller lui-même Bijou. Fermant les yeux, il savoura le poids de ses seins dans ses mains, la chaleur de ses fesses contre son membre, l'odeur de ses cheveux et de sa peau. Quand ils s'allongèrent, il écarta ses cuisses pour contempler son sexe sombre à la toison fine. Bijou n'était pas pressée. Elle attendit le désir d'Antoine pour lui proposer un préservatif. Antoine acquiesça de la tête. Certains expatriés ne mettaient pas de préservatifs avec les coiffeuses, très souvent porteuses du VIH. Ils appelaient ça « la roulette burundaise ». Antoine ferma les yeux et laissa Bijou, sur lui, l'absorber de son ventre contractile.

Ils rentrèrent presque à l'aube. Antoine, dans un sommeil de brute, fit un rêve. Il courait, nu, armé d'un Kalachnikov, vêtu uniquement d'un porte-chargeurs qui flottait en bandoulière autour de son corps. Son visage était barbouillé de boue et de sang, et il lui semblait que ses pieds ne touchaient pas le sol. Il traversait des camps en fauchant les déplacés avec son arme, qui ne s'arrêtait pas de tirer.

Quand Antoine se réveilla, l'après-midi était largement entamé. La chaleur écrasait la ville. Philippe et Raphaël avaient eu le temps d'aller avec le camion remplir de gasoil les *drums*, maintenant solidement arrimés sur le plateau du Mercedes. Il ne restait plus qu'à coincer les caisses de pièces détachées. Raphaël leur proposa d'aller prendre un verre au *Club nautique*, juste au bord du Tanganyika. Ils tentèrent d'apercevoir, de leur table, des hippopotames, mais les hippopotames aussi étaient fatigués, et ils n'en virent aucun. Le lendemain matin, tôt, Philippe et Antoine prirent congé de Raphaël pour remonter vers le Rwanda.

Antoine retrouva avec plaisir l'équipe à Gikongoro. Les camps restaient sous contrôle. Olivier, d'après ce qu'on lui raconta, dormait maintenant dans la chambre de Julie. Dom et Léa étaient plus discrets. Ils s'absentaient pour se retrouver quelque part, ailleurs. Les petits angelots du paradis avaient dû entendre la prière d'Antoine. Les Liberata de Maheresho avaient dit à Julie qu'elles voulaient bien qu'Antoine passe les voir à son retour. Un pesage systématique de tous les enfants du camp de moins de cinq ans

103

devait être organisé avec MSF. Benjamin, le chef de camp, s'inquiétait des conséquences. Peut-être les distributions de nourriture allaient-elles diminuer ? Les Liberata avaient juste besoin qu'Antoine vienne rassurer Benjamin, qui n'avait pas envie de se faire tuer par des déplacés sur un malentendu. Antoine savoura le plaisir intime de rouler sur la piste défoncée de Maheresho. Ce mauvais chemin de terre ocre et de pierre lui était aussi familier qu'un chemin d'école. Il emporterait cette piste avec lui, le jour de son départ. À Maheresho, Benjamin et les Liberata l'accueillirent avec des sourires et des gestes furtifs. Les gosses qui avaient pris d'assaut le pick-up dès son arrivée sur le site l'entouraient en riant. Le centre nutritionnel thérapeutique installé par MSF s'était agrandi. La tente, auparavant de taille moyenne, avait été remplacée par une autre beaucoup plus grande, de couleur crème un peu sale. Dessous, des rangées de nattes couvraient le sol, sur lesquelles mères et enfants étaient allongés. Il y avait eu pas mal de nouveaux arrivants à Maheresho, ces derniers temps. Souvent, ils étaient sortis des forêts où ils s'étaient cachés du FPR de longues semaines, se nourrissant de racines et de feuilles. Les plus faibles, et particulièrement les très jeunes enfants, ne pouvaient pas absorber la nourriture de base distribuée par Intervention Directe. Il fallait auparavant rétablir doucement leur organisme, qui ne savait plus digérer normalement. Perfusions, bouillies de renutrition et lait thérapeutique. Le pesage systématique de tous les enfants allait en amener d'autres sous la grande tente. Les mères, par éducation, par honte, amenaient toujours trop tard leurs enfants au centre thérapeutique. Il était plus difficile alors de les sauver. Pourtant il y avait moins de bébés morts qu'avant, depuis que le centre avait

Gikongoro, Rwanda

été installé à Maheresho. Beaucoup moins, même, d'après les comptages des Liberata. Mais MSF avait décidé qu'il valait mieux peser tous les vivants que compter tous les morts. Antoine s'avança sous la grande tente. Toutes les nattes étaient occupées. L'équipe de MSF, qui avait été renforcée sur le site, s'affairait auprès des différents groupes. Antoine aperçut de loin Yasmina, assise sur un tabouret, qui examinait un par un, un classeur à fiches sur les genoux, une file d'enfants nus. Antoine avançait doucement dans la travée centrale. Des barres légères installées à mi-hauteur couraient à sa gauche et à sa droite, sur toute la longueur de la tente, et servaient à accrocher les poches de perfusion. Une mère était allongée, la tête à quelques centimètres du va-et-vient, une perfusion au poignet. Elle avait les yeux ouverts dans un visage ridé, et ne bougeait pas. Seule sa respiration indiquait sa vie. Elle était vêtue d'un chandail troué et semblait avoir froid sous une couverture de couleur vive. Son enfant, contre elle, était assis et pleurait. Elle ne semblait pas l'entendre, mais l'une de ses mains restait posée, comme pour le protéger, sur l'épaule du gosse. La natte à côté de la sienne était occupée par un très jeune enfant, presque un bébé, qui dormait, le visage étonnamment serein. Il avait une sonde dans le nez et un large bandage sur le côté du crâne. Les machettes n'avaient pas réussi à le tuer. Il était recouvert d'un plaid aux jolis motifs traditionnels. Antoine essaya vainement d'échapper à l'odeur sucrée, surie, qui émanait des corps blessés et malades. Devant Yasmina, les enfants attendaient en silence. Ils présentaient tous, à différents stades de gravité, les symptômes pathologiques de la malnutrition sévère. Petits bouddhas au corps entièrement gonflé d'œdèmes, les yeux presque occlus, souffrant du « kwash », le kwashiorkor.

Yasmina, pour confirmer ce qu'elle savait déjà, appuyait doucement un pouce sur le dessus du pied de ces petits bonzes. Les tissus, qui n'avaient plus aucune élasticité, gardaient l'empreinte du pouce longtemps après qu'elle l'eut ôté. Il y avait aussi les squelettes apathiques, au corps souvent atteint de maladies de peau qui rongeaient leurs jambes et leurs mains, recouvraient leurs fesses de croûtes et d'escarres. Ceux-là étaient atteints du marasme. Yasmina inscrivait, mesurait le périmètre brachial[1], notait encore, puis envoyait chaque enfant, avec sa fiche, à la toise et à la pesée, où l'on relevait le rapport poids-taille. Les deux informations, périmètre brachial et rapport poids-taille, permettaient de déterminer précisément le niveau de malnutrition et le protocole de prise en charge. Croyant qu'Antoine, derrière elle, était un membre de l'équipe MSF qui venait lui demander quelque chose, elle se tourna vers lui. Elle resta quelques secondes surprise, immobile, puis, le regardant sans émotion, lui dit « j'ai pas le temps » avant de se retourner vers l'enfant qui s'avançait vers elle. Antoine remarqua que le pantalon de toile et le tee-shirt de Yasmina étaient sales, à cause des gosses qui s'appuyaient contre elle le temps de l'examen. Il poursuivit son chemin jusqu'au fond de la tente et sortit. À quelques mètres de celle-ci, des nattes à ciel ouvert accueillaient les dépouilles des enfants morts, qui attendaient d'être enterrées. Antoine, debout, observa les petits corps tranquilles. Il se rappelait les premiers jours, quand il avait débarqué. Il lui semblait qu'il y avait des années de cela. Les premiers bébés morts qu'il avait vus, qu'il avait portés jusqu'aux fosses où

1. Périmètre du bras permettant de mesurer le niveau de malnutrition selon l'âge.

les cadavres étaient ensevelis par dizaines. Il avait pleuré. Il se souvenait de ses larmes et de son désespoir et de sa rage. Aujourd'hui il était habitué. Les larmes s'étaient évaporées, comme s'étaient évaporés la sueur et le sperme du sexe avec Yasmina. Antoine rejoignit Benjamin et les Liberata qui l'attendaient devant la tente. Il expliqua à Benjamin que le pesage ne voulait pas dire moins de nourriture, mais au contraire une nourriture spéciale, en plus, pour les plus faibles et les plus malades. Benjamin et les Liberata l'accompagnèrent jusqu'à sa voiture. Arrivé à la patte-d'oie de Cyanika, Antoine s'arrêta et grimpa sur le toit de la cabine pour contempler la beauté des collines tout autour de lui.

L'escouade du FPR cantonnée à proximité de la maison s'intéressait de plus en plus à Consolée, la fille de Domitille. La discipline du Front, qui punissait du peloton d'exécution les viols avérés, relativisait la gravité du harcèlement auquel se livraient les soldats à chaque fois que l'occasion leur était donnée de l'apostropher. Mais si l'on considérait que le Rwanda était un pays où le pire venait juste d'être accompli, qu'était-ce qu'un viol dans le champ des possibles qu'ouvrait chaque instant ? Domitille demanda à l'oncle qui habitait près de Butare, celui dans le jardin duquel son frère avait été enterré, d'accueillir Consolée pour dormir. Elle gagnerait Gikongoro à pied le matin, parmi tous ceux qui se rendaient à la ville. Le soir, Antoine et les chauffeurs s'étaient proposés pour l'amener chez l'oncle à tour de rôle. Antoine s'y colla presque en dernier. Il fit monter Consolée dans le pick-up, avec le sac de toile dans lequel elle ramenait, pour elle et l'oncle, les fruits, les légumes, les galettes qui n'avaient pas été consommés par l'équipe, et qui ne se garderaient pas jusqu'au lendemain. Ils roulèrent tranquillement sur la piste qui semblait retenir sa poussière pour mieux accueillir le calme de la nuit presque tombée. Le véhicule dépassait les groupes de villageois qui regagnaient leurs maisons et les grosses trottinettes en bois que l'équipe avait surnommées les « scooters rwandais ». Ces engins, mal ajustés, souvent surchargés, sans freins, provoquaient, en se disloquant brutalement dans les descentes, des accidents graves. Mais ce soir, ils étaient paisiblement poussés par leurs propriétaires. À la patte-d'oie de Cyanika ils prirent à droite, traversant le grand camp. Ils passèrent devant l'immense tente qu'AICF[1] venait d'installer pour les distributions de nourriture. Il y avait une entrée, une sortie, et les milliers de gens inscrits sur les listes de bénéficiaires contrôlées par AICF ne pouvaient suivre qu'un seul sens, une seule fois, encadrés par des cordes tendues à mi-hauteur. Ils ressortaient par l'autre bout de la tente, avec leur ration et un tampon sur le bras. C'était très efficace. Antoine avait surnommé toute l'installation « la bétaillère », mais la vérité était qu'AICF, sans cela, n'aurait jamais pu prendre en charge sans émeute la distribution de denrées alimentaires pour autant de gens. Dans la nuit, la bétaillère ressemblait à un cirque ambulant caressé par le vent, avec le drapeau d'AICF qui faseyait au-dessus. Un peu plus loin, ils longèrent le petit cantonnement militaire que la MINUAR avait placé afin de surveiller le camp et ses trop nombreux déplacés. Le contingent ghanéen qui l'occupait, avec ses véhicules blindés, avait mis en place suffisamment de barbelés et d'ouvrages défensifs autour de la position pour que les humanitaires aient fini par la surnommer « Fort Alamo ».

1. Action Internationale Contre la Faim : ONG française.

Quand ils atteignirent la maison de l'oncle, les phares du pick-up déchiraient une obscurité épaissie par la forêt. L'oncle accueillit silencieusement Consolée et remercia Antoine, avec presque les mêmes gestes, la même expression de politesse que le jour de l'enterrement. Antoine eut l'impression que l'oncle avait appris et répété une séquence de civilités-pour-les-*Bazungus* qu'il exécutait chaque fois que nécessaire. Antoine salua Consolée et son oncle malheureux et reprit le chemin de Gikongoro en écarquillant les yeux pour ne pas sortir du sentier que révélaient à peine ses phares.

Alors qu'il traversait dans l'autre sens le camp de Cyanika, Antoine arrêta le moteur et sortit du véhicule. L'air de la nuit était d'une incroyable douceur. Les étoiles palpitaient au-dessus des collines et des milliers de feux, allumés devant les blindés par les déplacés pour préparer le repas du soir, leur répondaient, à perte de vue. Une rumeur paisible, rythmée, faite de toutes les voix de toutes les familles qui s'étaient échouées à cet endroit du monde, montait doucement, avec les odeurs de bois brûlé. Cette rumeur, cette senteur et le vent de la nuit faisaient ressembler le camp à un immense paquebot illuminé dérivant sous les constellations des mers du Sud. Antoine alluma une cigarette, appuyé sur le capot du Toyota. Presque devant la bétaillère, dans un coude du chemin qui surplombait une partie du site, les Ghanéens de la MINUAR avaient sorti un M113[1] qui, moteur arrêté, veillait sur les rêves et les remords déployés sous ses chenilles. Des déplacés, seuls ou en petits groupes, passaient parfois devant Antoine, le frôlant sans sembler le voir. Ils se hâtaient de regagner leurs abris, quelque part dans le camp, pour la nuit. Save Our Souls;

1. Véhicule de transport de troupes blindé.

109

SOS. Le message de détresse, lancé par chaque feu, allait se perdre loin derrière la lumière des étoiles. Antoine ferma les yeux. Il laissa chaque seconde, jusqu'à la fin de la cigarette dont il retenait longuement la fumée, s'inscrire au plus profond de sa mémoire. Deux jours plus tard, l'escouade du FPR quittait la maison voisine pour remonter vers Cyangugu, où le gros de l'armée combattait les groupes d'Interhamwe qui y menaient une guérilla obstinée.

Finalement, le barnum avait débarqué à Gikongoro. Trop d'ONG pour pouvoir toutes les compter. La situation s'était suffisamment stabilisée pour que les fanions flottant sur les 4 × 4 fleurissent comme des pâquerettes. Le nombre d'organisations humanitaires présentes sur une zone est inversement proportionnel au niveau d'insécurité. Les grosses ONG anglo-saxonnes étaient arrivées en dernier. Leur spécialité semblait être l'organisation de réunions de coordination. Antoine fut invité à y représenter Intervention Directe. Les réunions, plusieurs fois par semaine, se tenaient en anglais, avec un ordre du jour précis. « *Guidelines for needs assessments and monitoring in IDP areas* » ; « *Do the NGO have standards in food-assistance to IDP/Returnees?* » ; « *The question of human rights in a post-genocide crisis* ». Antoine profitait des réunions pour fumer les cigarettes de ceux qui venaient d'arriver, marques occidentales achetées en *free-tax* à l'escale de Bruxelles ou de Nairobi. Avec tous ceux de la première heure, il s'offrit aussi quelques fous rires. Mais c'était de moins en moins drôle. La Norvégienne des Nations unies couvait les réunions, pénétrée de son utilité. L'aventure était terminée. Le barnum, tel qu'Antoine avait compris le terme en entendant les autres volontaires l'utiliser pour se moquer d'eux-mêmes, c'est le délire rock'n'roll de la guerre, mais plus que cela. C'est aussi une suffisance qui s'installe après la bataille, drapée d'idéaux humanitaires et de professionnalisme, pour se disputer férocement les dividendes du dénuement. Seuls ceux qui sont là au début du drame, quand on peut se compter entre ONG sur les doigts de la main et qu'on se demande si on risque sa peau pour les autres ou juste, égoïstement, pour continuer à vivre sans regrets, peuvent rire de ce cirque dans le cirque. Mais aucun ne peut y échapper, une fois la caravane arrêtée au milieu des ruines et des fosses communes.

Antoine demanda à Julie et Olivier de le remplacer aux « *NGO meetings* ». Il hésita pendant quarante-huit heures, puis il sut qu'il en avait assez. Par radio, il annonça au chef de mission à Kigali qu'il ne renouvellerait pas son contrat de volontariat, qui arrivait à terme. Il remonterait par la route jusqu'à la capitale, où il aiderait pendant quelques jours à boucler le premier rapport d'opération. La veille de son départ, il fit le tour des camps qu'il avait le mieux aimés. Il dit adieu à Benjamin et aux Liberata, à Emmanuel et à Joseph gratte-couilles. Les Liberata lui demandèrent son adresse en France. Il la leur donna. Comme ils avaient si peu à se dire, maintenant que leurs chemins se séparaient, ils gardaient longtemps leurs mains dans leurs mains, et souriaient en hochant la tête. Antoine passa aussi voir Yasmina, au CNT de Maheresho. Elle lui sourit, lui souhaita bonne chance, lui laissa un téléphone à Toulon, où elle habitait quand elle n'était pas en mission, en lui disant que ça lui ferait plaisir de le voir s'il avait l'occasion de passer à Toulon, puis elle l'embrassa gentiment sur les lèvres. Le soir, l'équipe organisa en son honneur une petite fête très réussie où pas mal de copains d'Équilibre, d'AICF, de MSF et d'ailleurs vinrent faire un tour. Deux médecins voulurent apprendre à conduire des camions vers deux heures du matin. C'était drôle, parce que au même moment quelques chauffeurs avaient décidé de jouer aux docteurs avec deux ou trois infirmières. Antoine avait un peu espéré voir Yasmina, mais elle n'était pas venue.

Le lendemain, Antoine prit la route pour remonter sur Kigali. Il passa Butare, puis slaloma entre les trous d'obus de mortier, sur la longue nationale triste qui menait à Gitarama, que les combats avaient bien abîmée, puis à Kigali, où flottait encore une odeur de mort. Il retrouva sans peine la grande maison abandonnée par des coopérants français qui servait de base capitale à Intervention Directe. Un cuisinier-zamou lui ouvrit la grille du jardin et Georges, le chef de mission, vint l'accueillir. Georges avait été, pendant quatre ans, délégué d'une agence des Nations unies dans un coin perdu du Cambodge. Il en avait gardé un goût pour la distance qui en faisait un chef de mission attentif, mais suffisamment éloigné de l'équipe de Gikongoro, avec laquelle il avait deux vacations radio quotidiennes minimum, pour que celle-ci se sente autonome. Georges était bien sûr descendu plusieurs fois, surtout au début de la mission, voir la réalité de la situation. Antoine l'avait emmené faire le tour des camps et, depuis, ils se faisaient confiance. Ils savaient qu'ils étaient sur la même longueur d'onde. Ils passèrent la fin de l'après-midi, sur la magnifique terrasse embaumée de fleurs qui dominait la ville et ses collines couvertes de maisons, à improviser le débriefing de la mission d'Antoine. Georges n'avait pas besoin qu'on explique tout ; ce qui réussit à sortir fut dit, et le reste fut dit aussi. Le soir, Georges emmena Antoine au *Kigali Night*. Antoine s'était souvenu des infirmières de

MSF et de l'accord passé avec le médecin vénézuélien, et il avait voulu voir la seule vraie boîte de nuit du Rwanda. L'endroit était assez triste. La nouvelle jeunesse dorée de Kigali, les fils des notables du FPR rentrés d'exil pour s'installer au pouvoir, jeunes Tutsis au regard dur qui avaient gagné la guerre que leurs pères avaient faite, posait avec des sapes de stars et des chaînes en or. Il y a beaucoup de chaînes en or disponibles au marché aux voleurs, dans un pays où un génocide vient de s'accomplir. Ils rentrèrent après avoir bu leur verre.

Pendant deux jours, ils rédigèrent ensemble, sur la table blanche du jardin abandonné à sa luxuriance, le premier rapport d'opération. Un exemplaire de celui-ci devait être ramené par Antoine au siège parisien d'ID, et un autre remis au tout nouveau ministère de tutelle dont relevaient les ONG opérant au Rwanda. La chronologie de l'intervention, les lieux, les déplacés, les morts, les besoins, l'action de chaque jour devinrent des faits, des chiffres, des volumes exprimés en tonnes et des statistiques. En annexe, une carte précise des camps pris en charge fut établie. Ils se rendirent au ministère. Le bâtiment avait été endommagé pendant la prise de la ville. Toutes les vitres étaient cassées, et l'on marchait encore sur du verre brisé, dans les couloirs. Certains bureaux, saccagés, étaient vides. Dans d'autres, des groupes de fonctionnaires, Tutsis sévères à l'anglais aussi impeccable que leur costume, avaient entrepris la mise en place d'une bureaucratie tatillonne. Ils croisèrent, dans un couloir, le représentant d'une ONG américaine. L'homme était vêtu d'un short, de chaussures de brousse et d'un chapeau comme en portent, dans les films d'aventure, les chasseurs de crocodile australiens.

Le lendemain matin, Georges emmena Antoine à l'aéroport. Ils se saluèrent avec peu de mots, puis Antoine attendit l'embarquement pour le vol Sabena dans la salle des passagers encore sale et abîmée des combats des mois précédents. De vieux magazines traînaient sur un comptoir vide et poussiéreux. Antoine trouva un hebdomadaire français de février 1994, deux mois avant le début des massacres au Rwanda. Il le prit avec lui et suivit, à l'appel du micro, la file qui sortait sur le tarmac, encadrée par les soldats du FPR, pour monter dans l'avion. L'appareil survola au décollage une partie de la ville, puis ce fut la succession à l'infini des collines vertes et paisibles. Entre Nairobi et Bruxelles, Antoine ouvrit son magazine. Il y avait un éditorial sur la guerre en Bosnie.

Combien de cris, combien de larmes, combien de sang, combien d'images faudra-t-il pour que la vieille Europe au ventre mou comprenne que ce qui se passe tous les jours à Sarajevo nous arrive, à chacun de nous ? Combien de morts, encore, pour qu'elle ait le courage d'agir et d'arrêter la barbarie, elle qui célèbre, en de satisfaites cérémonies, la victoire sur celle du nazisme, proclamant sans vergogne : « Plus jamais ça. » Peut-être que tout le sang et toutes les images ne suffiront jamais. Peut-être que les responsables, s'il s'en trouve, de cette Europe dite du progrès, ne voient plus, n'entendent plus que les chiffres, solfège cristallin, miraculeuse kabbale de cette technocratie qui rêve de composer nos vies et d'engendrer notre avenir.

Je veux donc tenter ici une dernière fois de les réveiller, en les interpellant avec l'aide des chiffres. Ceux-ci m'ont été communiqués par mon ami Miroslav Prstojevic, journaliste au quotidien sarajevien *Oslobodenje*, ce journal qui se fait chaque jour dans des caves, sous les bombardements, ce journal qui résiste toujours, et qui est vendu au péril de leur vie, dans la rue, par ceux-là mêmes qui le rédigent.

Je suis assez vieux pour que ces chiffres évoquent en moi des souvenirs et pour qu'ils me terrifient. J'espère qu'il en sera de même pour ceux qui les liront.

À la fin de l'année 1992, 8 097 personnes avaient été tuées, et 47 116 blessées à Sarajevo ; 800 000 obus de tous calibres avaient été tirés sur la ville, soit près de 20 millions de kilos d'acier et d'explosif, soit encore environ 30 kilos d'explosif envoyés à chaque Sarajevien. Un kilomètre carré de la ville avait reçu en moyenne 4 700 obus.

À la fin de l'année 1993, 9 662 personnes avaient été tuées, et plus de 56 000 blessées. Le chiffre des obus tirés depuis le début du siège excédait deux millions. Le dernier jour de janvier 1994, celui des tués était déjà de 9 842...

Rappelons-nous que nous pouvons, parce que nous en avons les moyens, arrêter à tout moment cette horreur, simplement en le décidant.

À l'escale de Bruxelles, Antoine attendit pendant deux heures, en salle de transit, le vol pour Paris. Il regardait fixement les gens autour de lui. Il avait froid. C'était l'automne en Europe. À Roissy, il monta dans un taxi. Le chauffeur était plutôt sympathique, et lui demanda s'il revenait de vacances. « En quelque sorte », répondit Antoine en s'efforçant de sourire. Le taxi le déposa devant chez lui. Il faisait toujours froid, une brume humide accompagnait le soir qui tombait. En pénétrant chez lui, Antoine eut la sensation gênante, pendant plusieurs minutes, que tout avait rétréci.

II

PARIS, FRANCE

La ville était pâle. Antoine avait ressorti un pull et un vieux caban. Dans le taxi qui l'emmenait au siège parisien d'Intervention Directe, la radio passait une lecture du *Zéro et l'Infini* de Koestler sur France Culture. Il avait rendez-vous pour un compte rendu à chaud avec Michel, le directeur d'ID depuis toujours. Antoine et Michel ne se connaissaient pas. Antoine était parti trop rapidement pour avoir eu le temps de rencontrer le père fondateur. C'était Georges, le chef de mission laissé à Kigali, qui lui avait parlé de lui. Quand il retraçait un parcours autre que le sien, Georges aimait à choisir un fil rouge qui l'aidait à ne pas s'égarer. Pour le patron d'Intervention Directe, il avait tout de suite évoqué « l'amour des cimes ».

L'amour des cimes. Michel avait eu la révélation pendant son service militaire, au 27e BCA[1], à Annecy. Il n'était pas montagnard, mais il avait demandé les chasseurs alpins comme ça. L'envie d'exténuer son corps massif, plein de force, de jeune ours. Corps presque lourd, gros os, grosses mains, visage rond très expressif, cheveux décoiffés. Sans être grand, il avait eu de l'allure. Un air de conquistador

1. Bataillon de chasseurs alpins.

quand il arpentait, vêtu d'un long manteau, les couloirs de la « Catho », à Paris. Il avait retrouvé l'amour des cimes intact, puissant, enivrant, dans les montagnes de l'Hindou Kouch afghan. Il était remonté depuis l'Inde, où les spiritualités orientales, la Baghavat Gita et le sourire du Bouddha, l'avaient attiré. Goa, Bénarès, Darjeeling et la route du hachisch. Katmandou ou l'Afghanistan? Le hachisch afghan noir est le meilleur du monde. Direction la Khyber Pass. Au moment de l'invasion soviétique, il arrivait à Peshawar. La ville pakistanaise avait rapidement accueilli tous ceux qui étaient prêts à franchir clandestinement la frontière. « French doctors » revenus du Biafra et des camps de réfugiés vietnamiens, et ceux qui voulaient risquer leur peau en combattant le communisme. Que des types épatants qui seraient morts dans quelques semaines. Il s'était joint à une équipe qui partait installer un dispensaire de campagne dans la vallée du Pandjchir. L'expédition avait été sa route de Damas. Plus de cinquante missions d'aide avaient suivi. À chaque fois, des semaines de marche, sac au dos, pour apporter argent et médicaments. La peur permanente des appareils russes, qui ouvraient le feu sur toute colonne suspecte. Ce jour de novembre 1980 où deux hélicoptères d'assaut surprennent leur groupe à découvert, sur un sentier de montagne. Les deux « Hind[1] », en vol stationnaire, trente mètres devant. Ils pouvaient voir les mitrailleuses et les lance-roquettes braqués sur eux. Le cœur qui s'arrête de battre. Puis, brusquement, les énormes machines qui s'élèvent et s'en vont, les laissant là. La joie de vivre qui met les larmes aux yeux, et l'éclat de rire gargantuesque avec les Afghans. La vraie vie, enfin. Le sourire

---

1. MI 24 « Hind » : hélicoptère d'assaut blindé soviétique.

du Bouddha était oublié. Il avait même retrouvé, avec l'amour des cimes, la foi de sa jeunesse. Parmi les moudja-hidin qui priaient le Miséricordieux cinq fois par jour au cœur du plus beau paysage du monde, il avait compris qu'il était chrétien. La petite structure créée pour orga-niser les missions clandestines était devenue une associa-tion humanitaire. Il avait poursuivi ailleurs ce qu'il avait appris en Afghanistan. Il y avait eu la Birmanie, la Rouma-nie, le Kurdistan, la Somalie, puis la Bosnie, et enfin le Rwanda. Aujourd'hui il était le directeur d'une véritable organisation. Siège à Paris, une grosse vingtaine de perma-nents, près de quatre-vingts volontaires sur le terrain, et les problèmes d'un patron qui l'attendaient chaque matin. La reconnaissance, aussi. L'humanitaire était entré dans les palais de la République. Trop d'invitations pour pou-voir être partout. Il fallait choisir. Colloques, conférences, réunions dans les ministères, Matignon, l'Élysée. Savoir accepter les honneurs. Fréquenter les institutions. Une torture permanente, aussi. Cette conviction qu'il était appelé aux plus hautes responsabilités, qu'il était fait pour ça. Combien d'hommes, au fond, sont capables de s'élever, sans ambition personnelle, à ces hauteurs? Le pouvoir comme une vertigineuse sainteté. L'amour des cimes. Combien de temps encore pour atteindre les sommets? Secrétariat d'État à l'Action humanitaire? Ministère des Affaires étrangères? Un jour. Il continuait, en attendant, à exténuer sa force d'homme maintenant mûr, habillé et coiffé, en dirigeant d'une main ferme Intervention Directe. « Il a la main lourde », disait-on parfois de lui. Son corps de plantigrade s'était alourdi, comme ses colères sans rancunes. Pour tous, il était Michel. ID, c'était lui. La sainteté ne se partage pas.

Quand Antoine entra dans le bureau de Michel, celui-ci l'accueillit avec un sourire chaleureux. La pièce n'était décorée d'aucun souvenir personnel, et il eut été difficile de deviner quel en était l'occupant. Il n'y avait au mur que des cartes, dont certaines étaient périmées. Mais le large bureau de bois laqué encombré de dossiers, et surtout la présence de nombreuses plantes, posées au sol et près de la fenêtre, mettait immédiatement à l'aise tout visiteur. L'autorité qui régnait ici s'enracinait dans la bienveillance. Michel prit l'initiative, commençant par des questions générales, puis des questions précises. Antoine s'aperçut très vite d'un phénomène étonnant. Michel écoutait. Il écoutait vraiment les réponses à ses questions. Il était attentif, mais plus que ça. Il cherchait à comprendre ce que voulait dire ce que l'on disait. Antoine s'abandonna alors à quelque chose qui n'était pas étranger à la confession, sans que cela le soulage le moins du monde. Qu'avait-il fait d'autre, dans les camps, que de nourrir des assassins et d'enterrer des cadavres, afin que quelques innocents ne meurent pas tout de suite ? Quand Antoine eut achevé, Michel le regarda un instant, pensif. Puis, comme s'il reprenait ses esprits, lui demanda : « Et la nourriture, là-bas ? Je veux dire pour vous, pour l'équipe, ça allait ? » La question surprit Antoine, qui repensa à Domitille et à sa fille. Domitille et son visage de bagnarde douce et triste. Domitille qui n'avait jamais voulu raconter son histoire et qui, chaque jour, réussissait à leur servir une table de ripaille. Quand elle préparait les légumes, dans la cuisine de Gikongoro, on pouvait voir les veines épaisses de ses mains desséchées palpiter au rythme de son cœur. Oui, la nourriture là-bas était excellente, et abondante, aussi. L'équipe n'avait pas à se plaindre. « Je le savais, répondit Michel avec un sourire de boxeur, les états d'âme, au fond, ne sont jamais qu'un luxe de bien nourri. »

Après les ultimes félicitations pour mission accomplie, et alors qu'Antoine s'apprêtait à prendre congé, Michel lui demanda des nouvelles de Georges. Georges allait bien, autant que possible, disons, eu égard aux circonstances. « Ah, c'est bien, c'est bien. Georges est un vieil ami. Nous nous sommes croisés en Inde, il y a un petit bail. Ce vieux fumeur de pipes cambodgien ne doit pas trop être dépaysé au Rwanda. On appelle les gens du FPR les "Khmers noirs", non ? Après les rouges, les noirs. Georges doit apprécier. Il me disait toujours que les couleurs n'existent pas en soi. C'est l'œil de celui qui regarde qui les invente. »

Donormyl, Coltrane, Hendrix. Et ne pas rester seul. L'angoisse avait été comme une grenade dégoupillée oubliée sous un oreiller. Elle était demeurée inerte, dans l'agitation d'un songe fantastique, pour exploser au réveil. À Paris, Antoine n'avait plus à agir. La tension de chaque instant avait disparu. Dans la vacuité du temps et le relâchement des nerfs, la conscience de ce qu'il avait vu et fait s'était brutalement déployée. Il ne pouvait plus y échapper. Chaque nuit, ses pieds baignaient dans le sang, et ses mains révélaient à tâtons le visage des morts. Les cauchemars qui déchiraient son sommeil avaient forcé Antoine à passer voir un pharmacien. Celui-ci lui avait donné ce qu'il pouvait lui donner sans ordonnance. Antoine ne pouvait se résoudre à aller voir un médecin pour lui dire qu'il n'arrivait pas à dormir parce qu'il revenait du Rwanda. Les rescapés, là-bas, ne recevaient aucune aide pour soulager leurs insomnies. Antoine avait honte de sa faiblesse d'Oc-

cidental. « Les états d'âme sont un luxe de bien nourri. »
Michel avait raison. Les comprimés de Donormyl, pourtant, faisaient leur office, et aidaient Antoine à sombrer
pour une dizaine d'heures, chaque soir. Au réveil, la perspective d'une journée vide faisait resurgir l'angoisse.
Antoine rappela tous les gens qu'il pouvait rappeler. Ne
pas rester seul. Discuter pendant des heures de choses
sans importance dans des cafés animés. Aller voir des films
d'action. Se distraire à tout prix. Chez lui, il fumait, allongé
sur son lit, et laissait la musique de Coltrane et d'Hendrix
couler comme une lave en fusion dans ses veines.

Marcher dans la rue, prendre le métro, être dans un lieu
public, tout cela était pour Antoine l'occasion d'une expérience bizarre. Il se sentait étranger à sa ville, comme un
soldat revenu du front. Il connaissait tous les raccourcis,
mais ne savait pas où aller. Les préoccupations de chacun
lui paraissaient sans objet. Parfois, Antoine s'arrêtait pour
fixer, incrédule, un visage ou une silhouette. Il lui semblait
que les êtres n'avaient pas de consistance, et qu'il aurait pu
passer sa main à travers eux. Il avait repris contact avec les
anciens amis. Retrouvailles joyeuses et gênantes à la fois.
N'y avait-il que quelques mois qu'ils s'étaient quittés ? Un
soir, il en avait retrouvé deux, les plus proches, dans un
restaurant. L'endroit, décoré à l'anglaise, ressemblait à une
bonbonnière. La carte était aussi poétique qu'absconse. Les
assiettes, présentées comme une œuvre d'art par un serveur presque hostile, offraient des portions ridicules. Tout
était extrêmement cher. Antoine avait voulu parler, raconter, mais très vite il avait perçu le malaise. Personne n'avait
envie d'entendre ses histoires. Surtout pas ces deux-là,
qui le connaissaient trop pour pouvoir écouter sans un
sentiment de trahison le récit d'une expérience qui les

excluait radicalement. Antoine se souvint de la conversation avec Léa, sous l'auvent de la maison de Gikongoro. Il écourta son récit à l'aide des fameux clichés, puis tenta de rejoindre les conversations qui avaient rapidement pris la suite, sans y parvenir réellement. « On dirait que tu t'emmerdes avec nous », lâcha brusquement avec aigreur l'un des amis. Une bouffée de colère monta, mais Antoine ne trouva aucun mot pour la dire. La lassitude et le besoin, aussi, de chaleur humaine l'emportèrent. Chacun y mit du sien, et l'on poursuivit la soirée comme si de rien n'était, en accordant à Antoine le rôle du type fatigué, une sorte de convalescent qu'on laissait revenir doucement à lui-même. Ils parlèrent des dernières tendances musicales, des nouveaux lieux de la nuit, puis d'immobilier. L'un des deux allait bientôt se marier. Il expliqua que, quoi que dise sa future épouse, il y aurait un groupe de punk rock qui jouerait à la fête, devant les invités, car il avait fait partie, bien plus jeune, de l'un des bons groupes français de punk rock. Ils burent ensemble au punk rock et à la mémoire des Sex Pistols.

Les pollutions nocturnes s'étaient faites rares. Au réveil, les érections devinrent insistantes. Le Donormyl n'endort pas la libido, il la nourrit d'un sommeil de brute. Antoine composa un matin, sur l'impulsion du café, le numéro à Toulon que lui avait laissé Yasmina. Une voix de femme à l'accent du Sud répondit. Elle ne pensait pas que Yasmina allait revenir bientôt, car elle avait reçu récemment une lettre où celle-ci lui disait que jamais elle ne s'était sentie si utile et nécessaire, et qu'elle aurait le sentiment « d'abandonner tous ces gens, surtout les enfants, si elle rentrait avant que le boulot soit fini ». La femme demanda à Antoine, qui s'était présenté comme un camarade de retour du Rwanda, si lui-même connaissait bien sa « petite chérie ». Antoine répondit qu'il avait fait sur place la connaissance de Yasmina, qui accomplissait un travail extraordinaire, dans des conditions très éprouvantes, et dont il fit un portrait exemplaire.

« Mon Dieu, vous avez dû voir des choses horribles là-bas, je vous plains. Moi, je ne pourrais pas. Je ne sais pas comment elle fait, la petite, mais vous savez, elle est forte, hein. Quand on a eu l'enfance qu'elle a eue. Je l'ai adoptée à huit ans ; ses parents se battaient tous les soirs, et des fois c'est elle qui prenait, aussi. La police a été obligée de venir un jour, et le juge a déchu le père et la mère de l'autorité parentale. Ils n'ont jamais cherché à la revoir, après. »

Antoine crut entendre, derrière la voix, le carillon d'un coucou suisse. Il tenta de se figurer Yasmina dans une maison où résonnait à heure fixe un coucou suisse. Il prit congé avec des mots rassurants. C'était idiot ; il ne savait pas pourquoi il avait appelé. Elle ne l'avait certainement pas pris pour un imbécile, ou même lui avait laissé de quoi s'imaginer qu'elle pourrait l'attendre un jour à Toulon sur le quai de la gare, courant vers lui pour se jeter dans ses bras, avant de l'entraîner dans une chambre ensoleillée où la même fièvre les arracherait de nouveau au monde.

Elle avait parlé de « finir le boulot » dans sa lettre. Le côté masculin de l'expression était étonnant. En se resservant un café maintenant tiède, Antoine réfléchit à ce qu'il aurait pu écrire, lui. Certainement pas cela. Il n'avait jamais pensé, là-bas, en termes de « faire quelque chose » mais, porté par l'action pure, n'avait cherché, au fond, qu'à « vivre quelque chose ». Une forme d'égoïsme actif à caractère caritatif. Bien sûr, il y avait eu les larmes et la rage devant les enfants morts, et les frissons d'horreur près des fosses communes, mais qu'avait-il engagé de plus que sa peau et son équilibre émotionnel ? Yasmina était allée plus loin, apparemment. Elle ramènerait de sa mission un sentiment d'accomplissement personnel ; lui n'avait ramené que des cauchemars. Alors de quoi pouvait-il être fier, en quoi pouvait-il se prétendre meilleur que quiconque, que ses amis par exemple, qui certes ne voulaient pas l'entendre raconter son histoire mais lui étaient restés fidèles, lui offrant toujours de les rejoindre. Il se servait d'eux pour tenir l'angoisse à distance, mais il n'avait rejoint personne, depuis son retour. Qui rejoindre, ici, quand on revient du Rwanda ? En rinçant sa tasse à café, Antoine regarda le liquide du fond s'éclaircir et se vider. Par la fenêtre de la cuisine, le ciel parisien déchira un morceau de grisaille pour disperser une luminosité fraîche qui fit ressortir, un instant, le bronzage qu'avaient conservé ses avant-bras et ses mains.

Avec peu d'originalité, on l'avait surnommée « Fanfan ». Ils s'étaient connus à l'époque de la vie à l'envers. Elle travaillait dans un magazine féminin, rubrique « Les gens de la nuit ». Antoine tomba sur son numéro en épluchant un vieux répertoire. Pages pleines de noms, d'adresses, de téléphones. Noms rayés ou ajoutés, ratures et gribouillis. Françoise, Fanfan ; l'image de son cul superbement dessiné par une culotte Tanga bleu saturne lui revint d'un coup, en plein sur le bulbe rachidien. Pourquoi pas ? De toutes les filles qui s'attardaient encore sur ces pages, c'était la mieux à même de le soigner. Un soir, il appela, vers dix-neuf heures. Le velours un peu rugueux, bas, de sa voix, l'accrocha de nouveau immédiatement. Elle hésita un instant, mais il n'eut pas besoin de se présenter.

« Antoine ? Pince-moi les fesses, je rêve. Mon bad boy préféré qui fait un come-back après, combien, presque six mois, non ? On t'a mis en prison ou t'es tombé amoureux ?

— J'ai eu une période un peu difficile au journal, et puis j'ai tout largué pour aller faire un tour en Afrique. On se voit bientôt, ma belle, ou t'as un type dans la peau ?

— Dans la peau ? Je me suis mariée, mon chéri. Un type adorable, il faudra que je te présente. Je l'ai rencontré sur une péniche, figure-toi ; la sienne, d'ailleurs, amarrée au port de la Bastille. C'était sa garçonnière. Une copine d'une copine m'a traînée à une fête qu'il y avait organisée pour son anniversaire, avec groupe de jazz et tout, c'était drôle. Bref, je suis restée passer la nuit sur cette péniche et voilà. Ça s'est fait très vite, je ne voulais pas qu'on me le pique, j'étais pas toute seule sur le coup, t'imagines. On est partis trois semaines en Inde en amoureux. Il faudra que je te raconte ça, d'ailleurs, ça m'a bouleversée. Enfin, il m'a demandée en mariage devant le Taj Mahal, tu te rends compte ? Je lui avais un tout petit peu suggéré avant, mais très finement, tu me connais. Il est ingénieur en géologie, je ne savais pas ce que ça voulait dire exactement mais il m'a expliqué que c'était très utile pour les forages pétroliers, tous ces trucs-là. En tout cas il a monté sa boîte, et il est en train de devenir richissime.

— Ah oui, eh ben dis donc. Vous vivez toujours sur la péniche ?

— Non, je l'ai ramené dans mon appart rue des Martyrs. Tu comprends, la péniche, c'est amusant, mais pour les enfants faut être sérieux, on va pas les attacher tout le temps pour être sûrs qu'ils ne tombent pas à l'eau. De toute façon il est tellement grand cet appartement, tu te souviens?

— Je me souviens, surtout ta chambre et la vue sur la tour Eiffel. T'es enceinte, si je comprends bien?

— Pas encore, mais je fais tout pour, crois-moi. Je l'épuise, mon petit mari.

— Je ne te reconnais plus, Fanfan. La fidélité sexuelle avec un mari?

— J'ai pas dit que j'étais fidèle, j'ai dit que j'étais très prise. Tu sais bien que plus j'ai du sexe, plus j'ai envie. Et comme mon chéri a du mal à suivre, je sais pas, il faut qu'on en parle, non?

— Tout à fait. T'es libre à dîner demain soir?

— Non, je reste avec lui. Il doit partir pour quatre jours à Bakou, en Azerbaïdjan, un gros contrat. Après-demain soir, bad boy?

— Vendu, ma belle. »

Le restaurant était posé au milieu du jardin intérieur d'un ancien hôtel particulier. Le centre du plafond était constitué d'une verrière qui s'ouvrait en été, mais l'hiver ne permettait que d'apercevoir quelques étoiles à travers les carreaux triangulaires. Le personnel était vêtu, pour les hommes, de jeans et de vestes à col officier noirs, pour les femmes de jupes au-dessus du genou, bas couture, escarpins noirs et chemises blanches sévères entrouvertes à deux boutons au cou. Les chemises étaient taillées petit, afin que les poitrines, profilées en fusée par des soutiens-gorge américains, semblent sur le point de les déchirer. Les cheveux longs étaient rassemblés en chignons stricts qui révélaient les nuques. Antoine, en réservant, avait eu une forme de jubilation. L'endroit était honteusement cher, plus encore que la bonbonnière où il avait retrouvé ses vieux amis, mais cette fois c'était lui qui choisissait d'y claquer une bonne partie de ses indemnités de volontaire accumulées sur son compte. Curieusement, il avait le sentiment d'avoir le droit de faire ça, à condition que ce fût pour y inviter une femme excitante.

Il attendit Fanfan au bar. Les barmaids étaient du même modèle que les serveuses. Il commanda une vodka polonaise comme on enfile un vieux pardessus. La rumeur de la salle respirait l'adultère chic. Une lumière ajustée découpait chacune des tables rondes à égale distance les unes des autres. La musique world groovy habillait les rires des femmes et le tintement des verres. Vins chers, champagne et seins laiteux. L'image des « cabarets » à gwa gwa de Gikongoro surgit dans l'esprit d'Antoine, parasitant la chaleur enivrante de la vodka. Minibulle d'angoisse rapidement crevée. Fanfan arriva avec juste un quart d'heure de retard. Manteau sombre, puis épaules et dos nus, décolleté de célibataire, bas voile, cheveux bruns tressés dans le cou, et Chamade avec elle. Elle s'assit sur le tabouret de bar, croisant les jambes en un éclair de cuisse et, après avoir embrassé Antoine au coin des lèvres, commanda du champagne, posant un bras nu sur le comptoir. Elle l'étudia silencieusement un instant.

« Tu as changé, Antoine. Je ne sais pas quoi, mais tu n'as plus exactement le même visage qu'avant. Je te rassure tout de suite, tu restes extrêmement séduisant. »

Antoine sourit en caressant du doigt la chair si tendre et troublante à l'intérieur du bras. Il avait déjà une érection.

« Ça doit être un reste de bronzage. Tu n'es pas habituée. Avant, on se croisait comme des oiseaux de nuit au teint pâle.

– Oui, non, je ne suis pas sûre. Tu as l'air plus dur. Dur et... je ne sais pas, meurtri ? Qu'est-ce que tu as été faire en Afrique ? »

Fanfan avait laissé son bras, feignant d'ignorer l'insistance d'Antoine. Le doigt eut une hésitation dans son jeu d'allumette.

« Je suis parti avec une ONG faire une mission humanitaire au Rwanda.

– Ah (infime crispation de la chair) oui, effectivement, je comprends. Tu as une cigarette ? J'ai oublié mon paquet chez moi ; je devais être pressée de te revoir, il faut croire. »

En se penchant pour offrir du feu à Fanfan, il contempla le galbe magnifique de ses seins. Il se souvenait de ses aréoles sombres et des tétons charnus, proéminents. On posa une flûte de champagne à côté d'elle. Elle la leva vers Antoine en le regardant dans les yeux.

« À toi, bad boy, mon baroudeur préféré.

– Dis pas ça, Fanfan, j'ai l'impression que tu parles à quelqu'un d'autre.

– Je sais à qui je parle. T'as toujours eu le goût du risque, au fond. »

Antoine distingua, à l'angle du regard et de la moue de Fanfan, l'aveu sans pudeur d'une gourmandise sexuelle. Il était excitant, appétissant, plus qu'avant encore, parce qu'il revenait du Rwanda. Le maître d'hôtel vint leur annoncer que leur table les attendait. Antoine suivit Fanfan ; il n'y avait aucune marque sur sa robe ajustée. Elle devait porter un string plus qu'arachnéen. Le maître d'hôtel alluma la bougie de leur table avant de s'effacer. Antoine tira une

cigarette dont il aspira la première bouffée, le visage à demi
éclairé par la flamme hésitante. Un serveur à la délicatesse
d'eunuque déposa devant chacun d'eux un menu imprimé
sur voile de papier.

« Tu sais, Fanfan, prendre des risques quand on n'a pas
grand-chose à perdre, ce n'est pas très difficile. En fait,
c'est surtout l'odeur de décomposition de tous ces gens
morts et vivants qui est pénible à supporter, tu vois ce que
je veux dire?

— Arrête, Antoine, je ne veux pas entendre ces hor-
reurs. Je n'ai pas envie de me préparer une fausse couche,
tu comprends? »

Fanfan prit la main d'Antoine, se penchant vers lui et
approfondissant le vertige de son décolleté. Ses doigts
caressaient la peau d'Antoine dans une hésitation ner-
veuse.

« Tu es comme un soldat blessé, Antoine, tu es si dur.
Tu me fais presque peur (elle rit doucement de son rire
de gorge bas – rauque). Tu sais, je comprends un peu, je
crois, ta… ta révolte, disons. Quand j'étais en Inde, j'ai eu
aussi ce sentiment-là. Enfin en tout cas quelque chose
comme ça, une forme de souffrance absolue, m'a bouleversée, vraiment. On m'avait prévenue, le fameux choc
de l'Inde, le continent de la misère, tous ces clichés, mais je
ne sais pas, ça a été une expérience beaucoup plus intime,
une violence qui est de l'ordre de la mise en abîme.
Comme si j'avais pu être indienne… cette grâce sublime
des Indiennes qui n'ont, je ne sais pas… qu'elles-mêmes, tu
comprends? »

Ils furent interrompus par le serveur-eunuque qui
venait prendre les commandes. Ils se décidèrent rapidement. Entrée française, émincé de quelque chose à la

malaisienne, grand cru classé. Fanfan était repartie en Inde. Elle reprit un récit qui semblait l'oppresser.

« Tu sais, là-bas, j'ai complètement ressenti cette fusion du sexe, de la mort et... de la renaissance, du mystère des mutations, des incarnations. On a pas mal voyagé en train, ils ont encore des trains de luxe fabuleux, très Empire britannique. On baisait n'importe quand dans notre cabine, et ailleurs aussi, c'est un pays incroyablement érotique, tu sais, et cette odeur de sève qui restait en permanence sur notre peau, mêlée à celles de la foule des gares, des épices, de l'encens, de la pourriture, ça nous ramenait aux origines, au cycle, tu comprends ? Quand on est arrivés à Bénarès, on a voulu assister aux crémations rituelles des morts sur les rives du Gange. C'est très impressionnant. Ça dure presque trois heures, et puis on disperse les cendres sur le fleuve sacré. À un moment, j'ai vu mon bébé, le bébé que je veux avoir, dans la fumée des bûchers. Quand on a repris le train, je suis allée me rafraîchir dans une sorte de salle d'ablutions à la gare de Bénarès. Il y avait une petite fille, peut-être dix ans, je ne sais pas, d'une beauté à couper le souffle. Elle avait un sourire incroyablement lumineux. Elle m'a aidée, avec un broc en plastique, pendant que je me passais de l'eau sur le visage, et puis tout d'un coup, j'ai réalisé qu'elle vivait là, dans cet endroit. Elle m'a montré la place sur le sol où elle couchait la nuit, sous l'évier. Elle avait le droit de dormir là en échange de nettoyer et de faire le service la journée. J'ai eu envie de l'embrasser, je pleurais, j'aurais voulu rester là, avec elle, j'aurais voulu être elle, cette beauté, cette grâce, j'aurais voulu l'emmener avec nous, je ne sais pas. Je lui ai laissé tout l'argent que j'avais sur moi. Elle m'a souri et avec son doigt elle m'a touchée au milieu du front, l'œil de Shiva ils appellent ça ;

j'ai eu le sentiment d'être... bénie. Je comprends ta révolte, j'ai ressenti cette chose-là, mais tu dois accepter le cycle, Antoine, tu... »

Antoine saisit l'avant-bras de Fanfan sur la nappe blanc cassé. Il avait voulu écraser sa cigarette sur cette peau soignée aux huiles essentielles, pour l'entendre crier de douleur, et pour qu'elle se taise ensuite, mais il parvint à se retenir. Surprise, elle le dévisagea.

« Laisse Shiva où il est, Fanfan, et garde ta salive pour me dégorger le poireau. On ne va pas se gâcher le dîner avec la souffrance des autres. Les Rwandais ont un proverbe pour ça : "La souffrance des autres est supportable" ; excellent, non ?

On vint, opportunément, leur faire goûter le vin. Antoine accomplit les singeries d'usage avec application. Fanfan avait eu le temps de se composer une expression choquée.

« Tu es vraiment devenu un soudard, Antoine. Je ne sais pas ce que je fais là avec toi. »

Antoine lui offrit son plus beau sourire, version carnassier – cynique – revenu de tout. Elle faisait toujours la tête, mais ses magnifiques yeux verts contredisaient sa colère. Elle se pencha vers lui au-dessus de la table.

« Vous ne valez pas mieux que les autres, vous les "humanitaires". »

Antoine allongea légèrement le bras droit et caressa du dos de l'index le sein gauche de Fanfan. Elle plissa les yeux tel un chat et se mordit la lèvre.

« T'as tout compris, Fanfan. »

Les plats furent servis. Antoine aiguilla la conversation sur le petit monde de la presse de mode qui employait Fanfan. Il se goinfra de potins, de légèreté et de vanité.

Dessous la table, il caressait du pied sans vergogne les jambes de Fanfan qui s'ouvraient à la demande, tandis qu'elle distillait les ragots vipérins. La colère d'Antoine gonflait son sexe. Il se sentait à la fois excité et froid, lucide, presque indifférent. Pulsion sexuelle sans chaleur. Au dessert, Fanfan oublia la prudence de la femme mariée « qui connaît tout le monde à Paris » pour porter deux doigts d'Antoine à sa bouche et les lécher avant de les mordre presque au sang. Antoine demanda l'addition qui fut prestement déposée devant lui par le serveur délicat. Le maître d'hôtel leur indiqua le vestiaire, qui se trouvait au bout d'un corridor éclairé de mini-halogènes au sol qui faisaient penser aux cailloux du Petit Poucet. Sur le chemin, une « lady's room » permettait aux femmes que le dîner avait troublées de se refaire une dignité avant de sortir au bras d'un homme. Antoine y entraîna Fanfan. Il y avait de petits boudoirs individuels, avec porte. Ils s'enfermèrent dans le dernier. Antoine n'eut pas à déboucler sa ceinture. Fanfan, accroupie devant lui qui se tenait à une chiffonnière fixée au mur, semblait vouloir lui vider jusqu'à la cervelle. Sans s'interrompre dans ses œuvres, elle défit d'une main sa tresse brune et laissa ses cheveux venir caresser l'objet de son ardeur. Il s'abandonna dans un spasme violent qui fit retomber une partie de sa semence sur le visage de Fanfan. Après un instant de vacuité partagée, il l'aida à se relever. Elle contempla quelques secondes, dans la psyché au-dessus du meuble, sa face sillonnée de traînées laiteuses, un sourire ambigu aux lèvres, puis Antoine l'essuya avec l'une des serviettes de marque disposées en tas immaculé sur un présentoir. Ils récupèrent leurs vêtements au vestiaire et sortirent, salués avec componction par le maître d'hôtel. Fanfan arrêta un taxi dans la rue. Une fois dans la voiture, elle entreprit de caresser l'entrejambe d'Antoine, qui regardait, les yeux mi-clos, l'animation nocturne de la vie au-dehors. Il ressentait en mode mineur, presque agréable, le sentiment d'étrangeté qui l'avait violemment saisi à son retour à Paris. Arrivés rue des Martyrs, Fanfan lui prit la main pour franchir la porte de l'immeuble et l'embrasser dans l'entrée. Elle mordait ses lèvres et riait en même temps, un peu ivre, ou caressait le blouson de cuir d'Antoine comme si c'eût été une peau de bête encore chaude. Quel cinéma se faisait-elle ? Adultère avec un baroudeur, un homme sans foi ni loi qui revient du pays des morts ? L'ascenseur était en dérangement. Il suivit le cul de Fanfan comme il avait suivi celui de Bijou, essoufflé par les cinq étages et cette froide fringale sexuelle qui le reprenait. Une fois dans l'appartement, Fanfan prit de nouveau la bouche d'Antoine et, sur un ton d'excuse de petite fille, lui dit :

« Pas dans la chambre. C'est idiot, je sais, mais j'aurais le sentiment de tromper vraiment mon mari si on faisait ça dans notre chambre, tu comprends ?

— Pas de problème, Fanfan, de toute façon c'est la vue sur Paris de ton salon que je préfère. »

Il se laissa tomber dans une chaise-fauteuil face à la baie vitrée. La tour Eiffel se détachait sur la gauche, au-dessus des toits et des lumières. Fanfan versa du gin dans deux verres qu'elle posa sur une table basse. Elle avait enlevé son manteau. Ils trinquèrent. Elle vint s'asseoir sur lui, poussant ses seins en avant. Il découvrit et caressa ses cuisses nues au-dessus des bas, puis se faufila sous le string pour explorer son humidité. Elle gémit avec une moue de fillette qu'on chatouille.

« Alors, raconte-moi : comment elles sont les Africaines ? T'as dû en profiter là-bas, bad boy. »

Éclair de lucidité et de rage dans le cerveau d'Antoine. Envie de gifler ce visage préoccupé de sa jouissance.

« C'est tout ce qui t'intéresse, Fanfan, les histoires de fesses, c'est tout ce que tu veux entendre ? »

Fanfan se recula un instant et dévisagea Antoine, un sourire moqueur aux lèvres. Elle avait encore de fines traces de sperme séché sur le visage.

« Dis donc, bad boy, si tu m'as appelée, c'est parce que tu avais envie de tirer un coup ; alors garde ton indignation pour les autres et baise-moi, non ? »

Oui, c'était ça. En tout cas c'était ce qu'il avait cru vouloir. Alors pourquoi était-il en colère ? Il ouvrit sans délicatesse le décolleté et le soutien-gorge de Fanfan afin de tourmenter cette chair tiède, arracha sa bouche aux mamelons durs pour boire son gin, puis mordit encore les tétons. L'excitation et la colère s'étaient rejointes, sans distinction. Il souleva Fanfan du fauteuil et la força à s'accroupir à quatre pattes sur le tapis shiraz du salon. Il écarta dans un même geste le string et les fesses.

« Tu mets un préservatif, Antoine ?

– Non, on va jouer à la roulette rwandaise, tous les deux. »

Avant qu'elle n'ait eu le temps de réagir, il s'était enfoncé dans son intestin, la maintenant fermement aux hanches. Elle cria ; douleur et plaisir. Il épuisa sa rage en quelques minutes, avant la délivrance, puis retomba sur le côté. Il se tourna vers elle.

« Allez, ne t'inquiète pas, je me suis protégé, là-bas ; tu n'as même pas pris de vrai risque, ma belle. »

Elle prit le temps de retrouver son souffle, puis bascula à son tour vers lui et le regarda en face, calmement.

« Tu es un salaud, Antoine. Un salaud et un vrai con. Retourne jouer les héros chez les Africains. Maintenant va-t'en. Je ne veux plus jamais te revoir. »

Dans la rue, il marcha au hasard, se dirigeant vers le rond-point de Pigalle. Pas dégrisé et soudainement trop lucide, il sut à l'angle d'un trottoir sale qu'il était paumé, totalement paumé. Il avança encore d'une centaine de mètres, sans pensée cohérente, puis, arrivé au rond-point, il s'assit par terre, le dos contre l'entrée du métro maintenant fermé, et quelque chose céda enfin ; il pleura violemment, hoquetant et chassant de la main des consolations imaginaires. Des noctambules et un SDF s'approchèrent, mais aucun ne sut quoi dire, quoi faire. Seul, il se vida de toutes ses larmes, les jambes allongées devant lui sur le bitume, les joues sillonnées à son tour, puis il resta encore assis, fumant cigarette sur cigarette dans la nuit, regardant les passants et les voitures. En face de lui, les *Folies Pigalle* éclairaient la place, et quelques clubbers se croisaient à l'entrée. Il avait dû les côtoyer, il y avait des années-lumière. Il finit par se relever lentement. Dans les rues de plus en plus désertes, il revint à pied chez lui, frissonnant de froid sans en avoir conscience. Il s'écroula à demi habillé sur son lit et dormit longtemps, sans Donormyl.

Doucement, l'angoisse refluait. Antoine se laissait porter par ce jusant, qui le ramenait vers Intervention Directe et son siège parisien. Depuis l'entrevue avec Michel, le lendemain de son arrivée à Paris, il n'y avait pas remis les pieds. Mais il avait encore le rapport rédigé avec Georges à remettre, et le débriefing opérationnel à effectuer.

En arrivant au siège, comme il était en avance, il fit le tour des services. Les gens se montraient contents de le voir, de discuter avec lui. Les questions étaient franches et directes, et Antoine, en y répondant, redevenait un volontaire de retour de mission parmi d'autres. Rien de ce qu'il disait ne pouvait surprendre. C'était cette banalité qui lui allait le mieux, à tout prendre. Pouvoir taire ce qu'il ne pouvait dire, tout en discutant simplement, entre deux portes, du reste. Conversations de famille.

Le type qu'il avait interviewé quand il faisait le journaliste et qui avait décidé du départ d'Antoine n'était plus là. « Il est parti comme ça », lui avaient appris les permanents du siège le jour du rendez-vous avec Michel. L'homme était devenu chauffeur de taxi, d'après la rumeur. Du coup, Antoine allait devoir faire le débriefing avec son remplaçant. « Il s'appelle Charles-Olivier Quiriny, mais tout le monde le surnomme Coq, ici. Tu vas voir, l'acronyme lui va pas mal ! »

Sur le bureau de Coq, relativement rangé, le culot d'une mine antichar soviétique servait de cendrier. Antoine, après s'être assis, alluma une cigarette. Coq était plutôt petit, trapu, avec une calvitie naissante. Il affichait un type méditerranéen marqué et une trentaine bien entamée. Avant de rejoindre ID, il avait fait partie, pendant une dizaine d'années, de la cellule d'urgence de MSF. Il avait tout vu, et il avait tout fait. L'Afghanistan, l'Érythrée, la Mauritanie, le Kurdistan, l'Arménie, la Somalie, la Bosnie... Il n'avait pas pu faire le Rwanda, malheureusement, mais il savait mieux qu'Antoine ce dont il s'agissait. Quand celui-ci avait voulu, en préalable, lui expliquer les conditions particulières, chaotiques, dans lesquelles l'équipe là-bas avait dû organiser son travail, Coq l'avait coupé net. « Attends, l'aide d'urgence au milieu des groupes armés, je sais ce que c'est ; en 1992, j'étais à Mogadiscio, d'accord ? » Antoine était d'accord. Pourquoi pas ? Si ça pouvait faire plaisir à ce type, Antoine voulait bien lui dire qu'il avait été le premier homme à marcher sur la Lune. Il lui remit, sans commentaire, le rapport rédigé avec Georges. En se penchant en arrière pour allumer une nouvelle cigarette, Antoine vit que Coq portait des chaussures de trekking, couleur sable. Coq commença à parcourir le rapport après avoir lui aussi pris une cigarette, et le bureau se remplit doucement de cette bonne vieille fumée qui aide les hommes à vivre. Coq lisait rapidement, soulignait des passages, posait des questions précises, prenait des notes, réfléchissait un peu puis poursuivait. Antoine dut, progressivement, se résoudre à admettre que cet homme connaissait son boulot. Il voyait le rapport devenir un instrument de travail, un outil qui, complété d'évaluations qui seraient bientôt effectuées sur place par Julie et Olivier, allait servir à élaborer un « proposal », une proposition de programme humanitaire. Celle-ci allait être ensuite soumise à un bailleur de fonds important, Union européenne, gouvernement américain, gouvernement français. Intervention Directe vivait essentiellement de financements institutionnels. Coq avait refermé le rapport. Il prit le temps, avec l'attention impersonnelle d'un médecin, de demander à Antoine comment ça s'était passé, si ça n'avait pas été trop dur. Antoine eut assez de lucidité pour répondre que le Rwanda, ça avait surtout été dur pour les Rwandais. Coq acquiesça en souriant, puis demanda à Antoine s'il pouvait discuter une demi-heure avec un volontaire, de retour de Bosnie, qui devait rejoindre dans quelques jours l'équipe de Gikongoro.

Le volontaire était un taiseux. Antoine fit de son mieux pour lui faire comprendre comment c'était là-bas, et ce qu'il aurait à y faire. Le type, un grand gars au physique taillé dans le granit, hochait la tête. Ils échangèrent des cigarettes et des anecdotes. Antoine écouta les histoires de convois bloqués sur les routes bosniaques aux check-points des diverses forces combattantes. Il raconta les barrages rwandais sauvages qui coupaient les routes, la nuit. Ils n'avaient pas grand-chose d'autre à se dire, et se serrèrent la main en se souhaitant bon courage pour la suite.

Avant de quitter le siège, Antoine passa voir le responsable de la communication. Celui-ci voulait le rencontrer afin de savoir un peu mieux de quoi il parlait à longueur de communiqué de presse. Antoine, dans le bureau agréable décoré d'affiches, répondit à de nouvelles questions, tenta de donner au jeune homme intelligent et doux qui l'interrogeait en noircissant un bloc ce dont il avait besoin. « La chair, la réalité de votre action sur le terrain », avait demandé son interlocuteur. Antoine regretta de ne pas avoir pu ramener un échantillon de l'odeur des camps. Lui, il pouvait encore la sentir, quand il fermait les yeux, le soir. Le bloc refermé, ils discutèrent de tout et de rien. Le besoin, encore, de parler de choses sans importance. Le jeune homme, au détour d'un propos sur la fin de la semaine, évoqua les fréquents week-ends qu'il aimait passer, avec sa fiancée, à Saint-Malo. Antoine, en l'écoutant, sut qu'il avait besoin d'aller respirer l'air du large.

Antoine était descendu dans un petit hôtel dont les meilleures chambres, ainsi que la salle où les clients prenaient le petit déjeuner, faisaient face à la mer. À travers la large baie vitrée, il pouvait voir les vagues à l'écume blanche battre le groupe de rochers qui s'avançait à leur rencontre, au bout d'une jetée. Il sortit et marcha, le long de l'immense plage de Saint-Malo, vers les remparts. On était hors saison. Beaucoup des maisons avaient leurs volets clos et, sur le sable, il n'y avait que quelques adultes emmitouflés et des enfants aux joues rouges qui couraient avec des chiens. Antoine, penché en avant, avançait dans le vent froid. Il respirait fort en butant contre les gros galets. Sur les remparts, il s'arrêta bout au vent et ferma les yeux, longtemps. Cette force qui décapait en quelques semaines la peinture sur les volets des maisons, qui abrasait la pierre des murs et le granit des remparts, devait pouvoir le laver de l'odeur des camps. Quand ses os eurent trop froid pour trembler encore, il redescendit du chemin de ronde. Au *Bar de l'univers* presque désert, il se réchauffa avec des grogs. Accoudé à une petite table de bois, il regardait les innombrables photos de voiliers qui couvraient le moindre espace, jusqu'au plafond. Derrière le comptoir circulaire, un serveur élégant aux cheveux pris dans un catogan semblait attendre que le monde change. Il venait, régulièrement et sans un mot, déposer devant Antoine un nouveau verre brûlant. Parmi les photos, on trouvait un tableau étonnant. Il représentait une assemblée de pirates, à l'île de la Tortue, festoyant en compagnie de femmes dépoitraillées. Les personnages du tableau, promis à la mort et au naufrage, souriaient, ivres d'être encore en vie, et leurs mains se refermaient sur les bouteilles d'alcool et sur la

chair des femmes. La fête du samedi soir, à Gikongoro.
Antoine, ivre lui aussi, leva son verre à la santé des frères de
la côte. Le serveur regardait Antoine, qui regardait le
tableau et pouvait voir, parmi les belles putains, Yasmina
danser. Ce n'était pas elle qui lui manquait si douloureusement, c'était la brûlure du sexe avec elle.

Antoine, dans sa chambre à Paris, fumait et regardait le
plafond. Il n'entendait pas le bruit de fond de la ville. Une
image, revenue à sa mémoire avec d'autant plus de clarté
qu'il avait cru l'oublier, l'occupait entièrement. Un vieil
homme, un Rwandais en guenilles, tremblant de maladie
et de faim. Avec une étonnante précision, Antoine pouvait
revoir en esprit le visage creusé, la barbe sale, les yeux man-
gés d'épuisement. Et aussi la maigreur des jambes, et sa
façon de s'appuyer sur un bâton pour ne pas tomber. Le
vieillard, en partant dans la nuit de l'endroit où il se terrait,
avait marché des kilomètres pour pouvoir arriver au matin
à la maison des *Bazungus* dont il avait entendu parler,
ceux qui donnaient à manger aux gens dans les camps. Il
s'était avancé, dans l'allée vide après le départ des camions,
vers l'auvent d'où Antoine, finissant un café, s'apprêtait à
partir pour rejoindre en voiture une distribution sensible.
Il s'était tenu devant Antoine, dans sa solitude parfaite.
Antoine l'avait regardé, puis avait demandé à Innocent, le
traducteur, ce que cet homme désirait. Le vieillard avait
répondu, avec une voix dont la douceur se confondait avec
celle du matin, qu'il était venu demander de quoi manger,
de quoi se soigner, et peut-être aussi une couverture pour
les nuits. Il n'avait pas mangé depuis des semaines, sauf des
racines et des feuilles, et il se sentait très faible et très

malade, et personne ne pouvait prendre soin de lui, car sa famille avait disparu. Antoine avait continué à le regarder en réfléchissant, son quart de café à la main. S'occuper de lui, cela voulait dire le faire monter dans la voiture, passer à l'entrepôt, négocier un sac de riz et une couverture avec Paul, passer ensuite chez MSF pour essayer de le faire examiner par un médecin, ou au moins une infirmière, le ramener enfin, avec le sac, la couverture et les médicaments qu'il ne pourrait jamais porter seul, jusqu'à son abri, quelque part dans les collines, en supposant que l'homme, d'une piste pour voiture, puisse lui indiquer l'endroit. Une journée, pratiquement, pour s'occuper de cet homme, qui n'était réfugié dans aucun camp, et ne pouvait donc être inscrit sur l'une des listes de bénéficiaires. Antoine devait absolument aller organiser cette distribution à M'Bogo. Il avait donné rendez-vous aux camions chargés de riz et de haricots, partis avant lui. Si Antoine n'arrivait pas, les chauffeurs ne déchargeraient pas et, les voyant repartir, les déplacés tenteraient de prendre d'assaut et de piller le chargement. Il y aurait des morts, à cause de l'émeute et parmi ceux qui n'arriveraient jamais à manger, sans parler des chauffeurs qui risquaient également d'y laisser leur peau. Antoine avait posé son quart sur la petite table de jardin, sous l'auvent, s'était penché pour relacer l'une de ses chaussures, puis, se relevant, avait demandé à Innocent de dire à cet homme de rejoindre l'un des camps, et que c'était le seul moyen de lui donner ce dont il avait besoin. L'homme, de la même voix douce, sans bouger de position, avait répondu qu'il y avait des gens qui le tueraient, s'il allait dans un camp. Antoine avait haussé les épaules, et le vieil homme, agrippant sa canne pour se redresser, avait dit qu'il préférait retourner mourir dans les collines, et que certainement cela arriverait bientôt, car il n'avait plus de force. En parlant, il n'avait pas regardé Antoine, ni Innocent, mais quelque chose qui devait être sa propre mort, et qu'il pouvait déjà observer, aussi proche qu'un objet familier. Antoine avait failli lui dire de rester là, de se reposer, de prendre quelque chose à manger dans la cuisine et d'attendre son retour, mais s'il faisait cela la maison allait devenir en deux jours un camp de déplacés. Il n'avait rien répondu. En regardant l'homme se tourner et repartir lentement vers le portail, s'appuyant à chaque pas sur son bâton trop lourd pour lui, il pouvait dire sans se tromper que celui-ci n'atteindrait pas la fin de la journée. Il était arrivé juste à temps pour organiser la distribution à M'Bogo. Les déplacés commençaient à s'échauffer autour des deux Magirus, et les chauffeurs n'en menaient pas large.

Antoine, allongé chez lui, revoyait la scène en boucle. Il n'avait pas de douleur en lui, juste un immense regret. Il avait fait, ce matin-là, ce qu'il devait faire, et il referait la même chose, sûrement, si ce moment devait se représenter. Mais il savait qu'il aurait pu sauver cet homme, qui était mort aujourd'hui.

Quelques jours plus tard, alors qu'une dernière vague de froid s'abattait sur Paris, Antoine appela Coq, au siège d'ID, pour lui dire qu'il était disponible pour une nouvelle mission.

III

SARAJEVO, BOSNIE-HERZÉGOVINE

Les chiens avaient fui devant la fumée d'échappement et le bruit des véhicules blindés de la FORPRONU[1] qui avaient pénétré dans la décharge pour y effectuer leur patrouille habituelle. Ils observèrent à bonne distance les monstres d'acier lourd, dont les roues creusaient de larges traces dans la gadoue de terre et de neige fondue. Les gosses qui fouillaient, à côté des chiens et de quelques vieillards, les pyramides de déchets ne s'étaient même pas retournés pour regarder les soldats juchés sur leurs tourelles. Le nuage noir qui s'échappait des VAB[2] leur était aussi familier que la fumée des tas d'ordures que l'on faisait brûler en permanence. La peinture blanche des véhicules blindés était ternie par la crasse urbaine et recouverte, jusqu'aux grandes lettres *UN* marquées sur chaque côté, par une couche de salissure de la même couleur que les ornières de boue détrempées. L'air givré de l'hiver figeait un instant la puanteur qui s'élevait, avant de la disloquer en d'innombrables fragments qui s'en allaient survoler la ville en contrebas. Les collines qui entouraient

1. Force de protection des Nations unies.
2. Véhicule de l'avant blindé (transport de troupes blindé).

Sarajevo étaient recouvertes d'une neige éclatante, joyeuse sous le soleil. À l'entrée de la décharge, les policiers bosniaques gelés battaient la semelle. Un ceinturon et un étui à pistolet de cuir bouilli tenaient à peine leurs grosses vestes d'uniforme yougoslave. Ils se contentaient de jeter un coup d'œil, quand les camions bennes venaient décharger, avant de leur faire signe de passer. On entendait, de temps à autre, le coup de départ d'une des pièces d'artillerie qui écrasaient la ville, et quelques instants après l'explosion du projectile quelque part, en bas ; cela non plus ne troublait pas l'activité obstinée du peuple en guenilles qui fouillait le dépotoir à ordures. Peu de mots étaient échangés, même entre les enfants. Il semblait que chacun eût le souci de préserver ses forces pour arracher aux immondices de quoi se chauffer ou se nourrir. Antoine, après avoir passé l'entrée à la suite de la FORPRONU, sous le regard indifférent des policiers – après tout, son pick-up était du même blanc sale que les VAB –, avait coupé le moteur et était sorti quelques instants. Son souffle se condensait devant lui pendant qu'il observait le fourmillement du cloaque, les nuages fins dans le ciel très bleu et le relais de la radiotélévision de Bosnie-Herzégovine qui tenait encore bon, malgré les impacts, sur la colline de Hum. La décharge était située sur les hauteurs, et Antoine y était parvenu par hasard. Il avait voulu explorer la ville assiégée, en suivant les chemins détournés qui évitaient les grands axes dégagés et les rues larges et rectilignes, champs de tir marqués à leur entrée d'une pancarte *Pazi sniper*[1]. Parfois l'avertissement était complété par un mur de protection fait de containers empilés, qui permettait aux piétons de

1. « Attention sniper ».

passer en courant d'un trottoir à l'autre. En empruntant les ruelles cachées de la vieille ville, il était tombé sur le chemin sinueux qui montait au-dessus des maisons, jusqu'à la colline où l'on brûlait les déchets. Cela faisait deux jours qu'il était à Sarajevo. Une semaine auparavant, il avait atterri à Split, sur la côte dalmate. Le port croate accueillait les bases arrière d'une grande partie des ONG qui travaillaient en Bosnie. Quelques journées entre parenthèses, dans la maison au-dessus de la plage que louait Intervention Directe, à découvrir les nuances de gris de la mer Adriatique sous le ciel bas d'hiver et à écouter le chef de mission lui décortiquer une guerre complexe et des programmes humanitaires en permanente évolution. Des heures aussi, en fin de journée, à observer les vieux Croates jouer aux échecs dans le bar du coin et les jeunes jouer aux Oustachis en traçant, avec la mousse de leur bière, un O[1] sur le comptoir, avant de frapper celui-ci avec le cul du verre en prenant des airs de tueurs. La vraie guerre n'était pas descendue jusqu'ici, et le bombardement de Dubrovnik n'était qu'un souvenir.

Dès l'instant où il était monté dans le véhicule d'ID qui l'attendait à la sortie de l'aéroport de Split, le monde avait recommencé à faire sens pour Antoine. C'était bon de faire de nouveau partie d'une équipe, de devoir bientôt agir. Quelque chose, à l'intérieur, avait cessé. Un sentiment d'étrangeté au monde s'était recalé dans l'axe d'un mouvement qui le dépassait, lui et son chaos intime. Derrière lui l'angoisse et les malentendus. Sentiment de proximité immédiate, évidente, avec des volontaires qu'il ne connais-

1. Le O est le symbole des Oustachis, combattants ultra-nationalistes croates.

sait pas deux jours auparavant. Soirées passées à dériver jusqu'à très tard sur des conversations d'expatriés. Puis l'abandon d'un sommeil compact.

Un matin, ils prirent la route très tôt pour remonter jusqu'à Sarajevo, avec les casques lourds et les gilets pare-balles sur le siège arrière du Toyota. Le chef de mission s'appelait Vincent. Il était en Bosnie depuis un an et demi, et accusait la fatigue. Ils parlèrent peu, profitant de la lumière claire de ce matin d'hiver sur la mer. Ils suivaient la longue route, sinueuse et magnifique, de la côte. Ils passèrent Omis, Makarska, Gradac, puis obliquèrent vers les terres et le poste frontière de Metkovic. Antoine demanda ce que signifiait le *Stretan Put* affiché en grand sur des panneaux, à intervalle régulier, le long de la route. « Ça veut dire "bon voyage" ; il y a encore trois ans, la Yougoslavie était un paradis pour touristes. »

Au poste frontière de Metkovic, ils durent attendre près d'une demi-heure dans une longue file de véhicules, mais leurs laissez-passer des Nations unies leur évitèrent le pourboire en deutsche mark glissé aux policiers croates. De l'autre côté de la barrière, les policiers étaient également croates, mais ils relevaient de la République auto-proclamée d'Herceg-Bosna, l'une des entités qui se déchiraient sur le territoire de la Bosnie-Herzégovine. Vincent avait été à l'essentiel pour aider Antoine à s'y retrouver rapidement : « Bon, c'est simple : avant, il y avait la Yougo-slavie, avec des républiques réunies dans une fédération, Serbie, Monténégro, Macédoine, Slovénie, Croatie, Bos-nie-Herzégovine. Après la mort de Tito, qui tenait tout ça d'une poigne de fer, les nationalismes se sont réveillés. La Slovénie est partie la première, puis la Croatie, qui a arra-ché son indépendance en 1991 par une méchante guerre.

La Bosnie-Herzégovine a cru, en avril 1992, qu'elle pouvait proclamer la sienne. Mais le problème, c'est que la Bosnie a toujours été, dans la Fédération yougoslave, une république hétérogène où se mêlaient musulmans, Serbes orthodoxes et Croates catholiques. Alors quand les Bosniaques ont déclaré à Sarajevo qu'ils étaient indépendants, les nationalistes serbes et croates de Bosnie, soutenus et armés par la Serbie et la Croatie, ont compris que c'était l'occasion de se tailler de beaux morceaux, que certains, à Belgrade et à Zagreb, auraient bien vu rejoindre les mères patries. Les rêves oustachi et tcheknik[1] de la Grande Croatie et de la Grande Serbie, tu vois ? Les Bosniaques, c'est-à-dire les musulmans et les enfants du rêve yougoslave, qui voulaient que la Bosnie reste cette "petite Yougoslavie" montrée en exemple sous le père Tito, se sont retrouvés les armes à la main pour défendre ce qui n'avait pas encore été avalé. »

Ils traversèrent avec ennui les terres arides et froides de l'Herceg-Bosna jusqu'à Mostar, la ville symbole des combats entre Croates et Bosniaques. Ils s'arrêtèrent une vingtaine de minutes pour observer la ligne de front sur les bords de la Neretva. La rive ouest, croate, offrait la vision d'un champ de ruines, et la rive est, bosniaque, exhibait de tout son long les différents stades de la défiguration. Le vieux pont, monument historique inestimable qui reliait depuis des siècles les deux rives, avait été détruit à coups de canon par les artilleurs croates du HVO[2]. Ils ne s'attardèrent pas. Ils roulaient, depuis la bifurcation de

1. Tchekniks : combattants ultra-nationalistes serbes.
2. HVO : milice armée croate de la République autoproclamée d'Herceg-Bosna.

Metkovic, sur la route « Pacman », sécurisée et fléchée par la FORPRONU. En secteur anglo-saxon, les routes FORPRONU s'appelaient Pacman, Tiger, Viper, Falcon, Idaho ou Nebraska. En secteur français, elles portaient des noms de vignobles : Petrus, Chinon, Jurançon, Pommard ou Corbières... Pacman devait les amener jusqu'à Sarajevo ; ils feraient la tournée des caves une autre fois. À l'entrée de Jablanica, ils s'arrêtèrent dans un restaurant installé dans l'ombre d'un virage, qui servait d'excellentes brochettes de mouton. Antoine, qui repensait aux brochettes de chèvre des « cabarets » rwandais, s'interrogea sur la récurrence de la brochette dans l'alimentation du volontaire humanitaire. Brochettes et bières ; il avait appris dès son arrivée le mot magique : *pivo*. Il est difficile d'être pris au sérieux dans un pays si on ne sait pas commander une bière. Vincent avait envie de parler, ce qui chez lui révélait une forme de tension. Peut-être la proximité de Sarajevo, et la perspective d'une entrée dans la ville toujours périlleuse. Antoine écoutait. Il découvrait une autre guerre où l'on se tuait entre amis d'enfance, et où les tireurs embusqués visaient de préférence les gamins et les voitures blanches des organisations humanitaires. Les clients bosniaques, une majorité d'hommes aux visages de paysans, les observaient en parlant à voix basse mais audible. La serveuse leur apporta la *racun*[1]. Il était temps de repartir.

Ils firent halte à Hadzici, où la ligne de front coupait net la route de Sarajevo, le temps d'embarquer un long type au visage mince de torero qui s'appelait Dragan, de coiffer les casques lourds et d'endosser les gilets pare-balles. Dragan faisait partie de l'équipe d'Intervention

1. Addition.

154

Directe. Basé à Pazaric, à côté d'Hadzici, c'était un excellent conducteur, spécialiste de la piste du mont Igman, ce mauvais chemin de terre qui louvoyait sur le dernier sommet encore tenu par les Bosniaques jusqu'aux abords de Sarajevo, sur l'autre versant, où un tunnel permettait aux défenseurs de ravitailler la ville. Dragan s'installa au volant, mais ce ne fut pas pour aller loin. Un convoi de l'armée bosniaque, prioritaire, descendait la piste étroite et difficile, et ils durent attendre deux heures, pris dans une queue de véhicules hétéroclites au pied du mont Igman. Personne ne s'impatientait, car tous savaient que la résistance des assiégés dépendait de ce cordon ombilical, au point que, quand un camion partait en travers sur la piste, les Bosniaques le poussaient sur le bas-côté ou si nécessaire dans le vide, s'il n'avait pas déjà versé dans un ravin, afin de la dégager immédiatement. Finalement, la file s'ébranla et ils s'engagèrent lentement sur le pauvre lacet de boue. Avec les gilets pare-balles et les casques lourds, ils ressemblaient à des tankistes montant à l'assaut. Dragan déployait toute sa science pour anticiper les dévers, les nids-de-poule et les dérapages. Il usait du crabot ou du frein moteur en artiste. Il aurait pu faire mieux que leur cheminement d'escargot, mais l'étroitesse de la piste n'autorisait aucun dépassement. Les arbres qui couvraient le mont Igman dissimulaient l'incessant charroi. Ils passèrent devant les anciennes installations olympiques de saut à ski et de bobsleigh, puis devant des positions de la FORPRONU gardées par des chars légers, avant d'entamer le versant qui descendait vers l'aéroport de Sarajevo, qu'empruntaient les convois protégés pour entrer dans la ville. Il y avait un passage particulièrement dangereux, car les véhicules n'étaient plus cachés par les arbres et se trouvaient dans l'angle de tir des positions serbes les plus proches. Là, les combattants serbes avaient installé des canons à tir rapide de 20 mm qui pouvaient suivre, sur les quelque cinquante mètres où ils étaient à découvert, les véhicules qui fonçaient à tombeau ouvert. C'est à cet endroit précis qu'ils crevèrent la roue avant droite. Dragan, calmement, mit la voiture sur le bas-côté pour ne pas bloquer le trafic. Le gros du convoi dont ils faisaient partie les dépassa. Ils se retrouvèrent quasiment seuls, à la merci du caprice d'un artilleur serbe. Ils sortirent tous les trois du pick-up. À moins de cent mètres, on entendait les premières lignes de front s'accrocher au Kalachnikov. Leurs pieds s'enfonçaient dans la gadoue et, avec les gilets pare-balles et les casques, chacun de leurs mouvements était lourd. La peur qui les oppressait, en inondant leur sang d'adrénaline, leur permit de retrouver lucidité et vivacité. Sans perdre de temps ils s'affairèrent, avec des gestes précis, déterminés, à changer la roue. Antoine se jeta à genoux dans la boue afin de placer solidement le cric sous l'essieu. Dragan le dévisagea avec intérêt pendant quelques secondes avant de commencer à lever. Moins de dix minutes plus tard, ils avaient jeté la roue crevée dans le plateau du Toyota et avaient repris leur descente vers la ville. Les sièges de la voiture étaient maculés de la boue dont ils étaient couverts, mais ils avaient envie de rire. Ils retrouvèrent leur convoi à l'entrée de l'aéroport, qui attendait l'escorte FORPRONU pour traverser les pistes. Une vingtaine de minutes à griller des cigarettes puis les véhicules blindés arrivèrent, se placèrent à la tête et à la queue du convoi, et tout le monde suivit, à travers le labyrinthe des positions tenues par les Casques bleus, le parcours compliqué qui coupait les pistes d'envol pour arriver à l'entrée de la ville. Il y avait un avion gros-porteur russe qui avait été touché dans les premiers mois du siège et qui gisait maintenant, repoussé sur le côté d'un taxiway, comme une carcasse de mammouth prise sous la neige.

À la sortie de l'aéroport, devant l'ancien quartier olympique de Dobrinja, qui n'était plus qu'une succession d'immeubles éventrés, brûlés, défigurés, Dragan arrêta la voiture. Il avait un rendez-vous personnel. Il descendit, ôta casque et gilet et les salua chaleureusement. Vincent s'installa au volant. Il se contorsionna sur son siège afin d'extraire, sous son harnachement, une cassette d'une de ses poches. Il la glissa sans rien dire dans le lecteur du véhicule, puis ils repartirent. Ils s'engagèrent sur l'échangeur qui surplombait l'entrée du boulevard Selimoviça, que tout le monde appelait maintenant « Sniper Alley ». Vincent profita de cet anneau de vitesse improvisé pour accélérer. Quand ils furent dans Sniper Alley, Vincent enclencha la cassette et écrasa la pédale d'accélérateur, montant les rapports jusqu'à parvenir au bout de la cinquième. La radiocassette passait, à plein volume, une chanson du groupe Noir Désir dont le chanteur hurlait sur un ton hystérique : « Soyons désinvoltes, n'ayons l'air de rien ! » Vincent se mit à gueuler le refrain, pied au plancher, couvrant le hurlement du chanteur et celui du moteur, sur toute la longueur de Sniper Alley. À un moment, Antoine, qui ne pouvait s'empêcher de rire, remarqua un immeuble, sur sa droite, qui ressemblait à un esquimau fondu dont seule resterait dressée la tige intérieure. Il reconnut le siège du journal *Oslobodenje*, symbole du martyr et de la résistance de la ville, mille fois photographié et montré dans la presse. Il repensa aussi à l'éditorial qu'il avait lu dans l'avion qui le ramenait de Kigali. Au bout de Sniper Alley, ils passèrent le quartier dangereux de Grbavica, puis ils furent dans la ville. Vincent avait brusquement cessé de hurler et éteint la radiocassette. Ils étaient à couvert. Ils traversèrent l'ancien quartier austro-hongrois pour atteindre Bascarsija, la vieille ville ottomane où se trouvait la grande maison d'Intervention Directe. Vincent, par radio, avait annoncé à Bruno, le coordinateur de la base de Sarajevo, qu'Antoine venait relever, qu'ils avaient passé Sniper Alley et qu'ils arrivaient. Ils louvoyèrent dans les rues étroites jusqu'à une belle maison d'angle à deux étages dissimulée par de hauts murs. Ils rangèrent le Toyota, ôtèrent les casques lourds et sortirent. Bruno, un grand type souriant qui commençait à perdre ses cheveux, les attendait devant la porte. Il s'avança vers Antoine. « Bienvenue à Sarajevo, le chapiteau permanent du barnum international ; tu vas voir, le spectacle va te plaire. »

Pour fêter leur arrivée, ils suivirent Bruno jusqu'à un bar, appelé le *Dobar-Man*[1], au sous-sol d'un bâtiment laid et noirci par les obus incendiaires. C'était un ancien complexe sportif yougoslave, le grand club Napredak[2]. Ils descendirent un escalier pour parvenir jusqu'à l'endroit, protégé comme un bunker par le béton massif de l'ensemble. La musique heavy metal, très forte, les guidait. La salle n'était pas grande, mais pleine. Un billard occupait une bonne partie de l'espace et des clients. Au fond se trouvaient quelques tables et chaises sauvées des incendies et un comptoir derrière lequel un jeune barman, qui avait

1. « L'homme qui va bien » : jeu de mots anglo-bosniaque.
2. « Progrès ».

le même catogan et la même élégance que le serveur du *Bar de l'univers*, mais en plus maigre, faisait tourner la boutique. Vincent et Antoine étaient encore maculés de la boue d'Igman, mais personne ne semblait y prêter attention. Il y avait là peu de Bosniaques, hormis le barman. Beaucoup de volontaires français et anglo-saxons. Des types, et quelques filles de Première Urgence, d'Équilibre et d'autres ONG. C'étaient pour la plupart des chauffeurs poids lourds, des logisticiens et des *convoy leaders*[1]. Tout le monde parlait fort, fumait et buvait beaucoup. Les types roulaient un peu les mécaniques. Certains portaient des santiags, et presque tous avaient un handset VHF à la ceinture. Les filles semblaient hésiter entre une posture de dure et l'envie de capter les désirs. Antoine, qui était depuis vingt minutes à Sarajevo, eut l'impression d'avoir débarqué dans un saloon pour cow-boys oublié sur la transaméricaine 66.

Vincent racontait à un groupe éméché l'aventure du pneu crevé sur Igman. La conversation tomba très vite sur le sujet qui semblait avoir la préférence de la clientèle : la meilleure façon de négocier la piste d'Igman, et surtout « d'enquiller Sniper Alley ». Chacun avait sa théorie et son anecdote. Le jeune barman élégant interpella Antoine en anglais.

« *What do you want to drink ?*

– *I don't know.*

– *If you don't know what you want to drink, it means you don't know how you feel*[2] ! »

---

1. Éclaireurs de convoi.
2. « Qu'est-ce que vous voulez boire ? – Je ne sais pas. – Si vous ne savez pas ce que vous voulez boire, ça veut dire que vous ne savez pas comment vous vous sentez ! »

Les premiers réveils à Sarajevo. Les appels des muezzins, venus des mosquées de Bascarsija, qui déchirent le sommeil d'Antoine à partir de six heures. Plus surprenant, à la vérité, que les chants de guerre du FPR à Gikongoro. Et les lumières de la ville et des maisons, parmi les collines, se détachant sur la neige au-dessus des minarets et des coupoles ottomanes. Istanbul et Avoriaz réunis. Avec, de temps en temps, l'explosion sourde et les vibrations d'un bombardement. Les bombardements avaient baissé en intensité, comme pour accueillir Antoine avec politesse, et il s'y était rapidement fait. La nuit, les quelques impacts, souvent en périphérie de la ville, le laissaient endormi jusqu'au chant des muezzins. C'était dans la journée que les bombardements réveillaient sa peur, comme si la mort pouvait y voir plus clair. Le bruit sec, aussi, des détonations des fusils des snipers, dans l'air glacé, comme une branche chargée de neige cassant brusquement, et qui le faisait sursauter. Instants de panique absurde. Il savait, comme tout le monde à Sarajevo, que l'on n'entend jamais le tir qui vous tue. Il avait fallu un peu de temps aux Sarajeviens pour apprendre la guerre. À côté de la maison d'ID, un petit cimetière accueillait une bonne partie des morts de 1992. Les tombes portaient presque toutes la même année, et souvent les mêmes mois. Au début, les enterrements eux-mêmes étaient l'occasion de nouvelles tueries ; les artilleurs serbes bombardaient les cimetières toutes les demi-heures. Maintenant, les funérailles se faisaient de nuit, à la va-vite.

Souvent, le soir, Antoine laissait Bruno pour aller marcher dans la vieille ville, aux limites du couvre-feu, qui tombait à vingt et une heures. L'obscurité profonde des rues désertes, le silence où résonnaient de loin en loin les bruits de la guerre l'attiraient. Il se sentait dans la vérité des

choses, à marcher comme ça au hasard dans une ville assiégée devenue symbole. Régulièrement, la police l'arrêtait.
La police bosniaque qui patrouillait était une police militaire. Des anciens ouvriers, étudiants ou paysans, qui
avaient reçu un treillis et un Kalachnikov. Ils avaient des
visages fatigués, une façon maladroite de se tenir armés
devant un civil, mais ils croyaient à ce qu'ils faisaient, et la
question qu'ils posaient sur un ton un peu trop rude :
Dokument ?[1] n'était pas une plaisanterie. L'obsession de
l'espionnage, de l'infiltration d'éléments ennemis, de la
cinquième colonne était justifiée par les lignes poreuses
du siège. Le passeport français, et surtout la carte d'accréditation des Nations unies d'Antoine, suffisait à rassurer les
policiers, qui parfois même lui proposaient de le raccom-
pagner jusqu'à la maison, car les rues n'étaient pas sûres.

Le boulot était facile. Il y avait le stress particulier des
bombardements et des snipers. Antoine avait appris à courir pour traverser une rue et à écouter le ciel en permanence. Il s'était habitué, aussi, à guetter le passage lent des
véhicules blindés de la FORPRONU, pour se déplacer en
se protégeant derrière leur masse. Mais pour lui, le reste
était facile. Ce n'était pas le Rwanda. Il ne s'agissait pas de
la souffrance individuelle des Bosniaques. Antoine savait
que la souffrance d'une famille musulmane rescapée du
nettoyage ethnique était la même que celle d'une famille
rwandaise. Il savait aussi que la mort d'un enfant de Sarajevo, ou d'une femme abattue, son porte-monnaie à la
main, alors qu'elle faisait la queue dans le froid pour un

1. « Papiers ? »

peu de pain, n'était pas moins monstrueuse que l'extermination des Tutsis. En Bosnie aussi le cerveau reptilien de beaucoup d'hommes s'était réveillé. Il y avait des charniers et des assassins. Mais il n'avait pas à faire creuser, comme à son arrivée à Gikongoro, des fosses pour y entasser les cadavres. Il ne respirait pas non plus cette odeur qui vous dit qu'il y a pire que d'être mort, c'est de pourrir lentement. Et il pouvait prendre une *pivo* avec un Sarajevien, l'écouter raconter le temps d'avant avec Tito, puis la guerre et toute la souffrance, et partager un peu de sa douleur.

Lui qui, à Gikongoro, passait ses journées dans les camps, seul au milieu des déplacés, consacrait maintenant le plus clair de son temps, avec Bruno, à faire du pilotage en double. Ils allaient ensemble aux innombrables *coordination meetings* qui réunissaient ONG, agences humanitaires de l'ONU, FORPRONU et autorités bosniaques à Sarajevo. Ils organisaient le dédouanement, le déchargement, l'entreposage des convois qui montaient de Split pour ravitailler les différentes bases opérationnelles d'Intervention Directe. La base de Sarajevo, de par sa position stratégique, était devenue le centre névralgique par où passait toute l'activité en Bosnie. Vincent semblait heureux de laisser Bruno, et surtout Antoine, se charger de l'essentiel du travail d'organisation et de représentation. Il devait attendre la fin de sa mission en regardant la mer, du balcon de la maison de Split. Antoine s'amusait de ses nouvelles fonctions, si différentes, tellement plus simples que l'art mystérieux de la survie dans un camp de déplacés.

Dragan vint plusieurs fois voir Antoine à Sarajevo. Depuis l'épisode de la crevaison sur Igman, Dragan aimait bien Antoine, parce qu'il l'avait vu se jeter dans la boue pour poser le cric. Avec Dragan, Antoine buvait des *pivos* au café *Lora* sur l'avenue Marsala Tita, là où les expatriés chics et les derniers artistes vivants de la ville se retrouvaient. Ils allaient aussi, ensemble, faire la corvée d'eau pour la maison. Ils étaient privilégiés, car ils pouvaient prendre le pick-up pour se rendre à l'un des points d'eau de la ville, faire la queue dans la gadoue et remplir les jerrycans. Les Sarajeviens, eux, devaient souvent marcher quatre ou cinq kilomètres, puis autant au retour, en portant dix ou vingt litres d'eau. On pouvait aussi, si on avait de la neige propre à côté de chez soi, en faire fondre dans sa baignoire. On économisait l'eau. On ne se lavait pas pendant des jours. Pour Antoine, le sentiment de partager un peu du danger, du froid et de la crasse des assiégés rendait les choses plus simples. Avec Dragan, ils préparaient la logistique des programmes de distribution : colis alimentaires et vêtements chauds pour les populations vulnérables de Bosnie centrale.

Bruno rentrait en France. Ils passèrent une dernière soirée ensemble, à boire de la *sljivovica*[1] dans le noir à cause des coupures d'électricité, en écoutant l'artillerie qui ne se décidait pas à taper sérieusement, puis Bruno monta, au matin, dans un convoi qui sortait de la ville sous escorte FORPRONU.

Vincent revint une dernière fois à Sarajevo. Ils allèrent discuter au *Dobar Man*. Il semblait que le bruit de l'endroit rassurât Vincent. Antoine s'était demandé si, cette fois encore, Vincent avait hurlé « soyons désinvoltes, n'ayons l'air de rien » pour avoir le courage de prendre Sniper Alley. Vincent dit à Antoine qu'il avait contacté le siège à Paris, et qu'il avait proposé à Coq, qui était d'accord,

1. Eau-de-vie de prune.

qu'Antoine prenne sa succession comme chef de mission. Il faisait du bon boulot à Sarajevo, il connaissait déjà tout le monde ici et avait fait son trou dans les *coordination meetings*. Dragan avait dit à tous les Bosniaques de l'équipe qu'Antoine était un type OK qui n'avait pas peur de se salir pour faire ce qu'il fallait. Alors maintenant, c'était à Antoine de se décider. Antoine l'écouta en regardant le cul, bien pris dans un jean un peu sale, d'une volontaire de Première Urgence qui se penchait pour tirer sa boule de billard. Il finit sa *pivo* en cherchant quelle raison il pouvait avoir de dire non, puis posa son verre et dit d'accord. Le jeune barman au catogan, qui avait suivi le regard d'Antoine, lui fit un clin d'œil en apportant le remettez-nous-ça.

En tant que chef de mission en titre, Antoine fut invité à un dîner organisé par l'attaché humanitaire de l'ambassade de France, qui avait récemment pris son poste. Le dîner se tenait dans un très beau restaurant de Bascarsija, *L'Aeroplan*, qui possédait une cour intérieure de style ottoman et de grandes salles. Comme on était à la sortie de l'hiver, ce fut dans l'une de celles-ci, où des fauteuils arabisants étaient déjà disposés en fumoir, que l'on dressa la table. Les vitres, luxe impressionnant à Sarajevo, avaient été recouvertes de bâches plastique grises pour respecter le couvre-feu. C'était le même type de bâches que celles qui recouvraient les blindés rwandais, mais ici elles servaient à remplacer les vitres et à aveugler ce qui pouvait rester de lumière dans les maisons. Tous les chefs de mission des organisations humanitaires françaises étaient conviés, ainsi que des officiers français de la FORPRONU et notamment ceux du « G5 », la cellule qui s'occupait des affaires civilo-militaires et des questions humanitaires. Le restaurant ne servait d'habitude pas de vin, par respect de l'islam, mais on avait pu s'arranger, et la direction avait accepté de mettre à disposition sa cave de vins français. Beaucoup de choses pouvaient s'arranger à Sarajevo si on payait en deutsche mark. Les crus s'ouvraient doucement, en carafe, sur la table. Antoine avait été accueilli, comme chacun de ses collègues, par l'attaché humanitaire lui-même. L'attaché humanitaire se nommait Mehdi Khamou. Il était de taille moyenne, cheveux en brosse, empreint d'une certaine vulgarité et d'une ostentation de mal né. Antoine, qui avait eu l'occasion de s'entretenir avec lui au téléphone, savait déjà que ce dernier tenait, plus que tout, à ce que l'on prononçât son nom à la française, ce qui donnait « médikamou ». Comme il s'étonnait, en aparté, avec deux autres chefs de mission de cette obsession, ceux-ci lui apprirent qu'en réalité tous les francophones de Sarajevo, militaires compris, l'appelaient « médicament », premièrement pour tourner en dérision son souci de la francisation, et enfin pour moquer son penchant pour l'alcool, qu'il consommait comme un médicament dans une petite bouteille de sirop. Antoine resta impressionné de la rapidité avec laquelle l'attaché, qui n'était à Sarajevo que depuis quelques semaines, avait déjà su se gagner un surnom. Quand les derniers invités rejoignirent les premiers qui faisaient salon, Mehdi Khamou convia tout le monde autour de la table du dîner. Il y avait une splendide nappe brodée, des bougies, du limoges et du cristal. Le personnel de *L'Aeroplan*, impeccable, présenta une carte sérieuse. Il était difficile de croire que l'on était dans une ville assiégée en lisant cette carte. C'était comme ça que se faisait cette guerre. On se tuait sans pitié, tout en continuant à faire des affaires ensemble. Avec quelques centaines de ces fameux deutsche mark, des camions passaient, de nuit, les lignes de front, chargés de denrées périssables. Bien sûr, cela se répercutait sur la note, mais *L'Aeroplan* n'était pas une cantine pour crève-la-faim. Les vins avaient bien respiré, et chacun goûta leur saveur avec recueillement. Antoine était assis à côté d'un commandant de cavalerie blindée. Ils évoquèrent les routes FORPRONU du secteur français et leurs noms de vignobles. L'officier expliqua en souriant que l'armée française avait tenu à offrir à ses collègues étrangers, outre son professionnalisme, un peu de savoir-vivre. Mehdi Khamou réclama l'attention de chacun, afin d'introduire ce moment de convivialité par quelques considérations d'ordre général.

La France, dont des représentants, parmi les plus remarquables, se trouvaient ce soir réunis autour de cette table, pouvait être fière de son engagement en Bosnie-Herzégovine. Engagement militaire et humanitaire, toujours au service de la paix. Engagement difficile et dangereux, comme en témoignait le nombre particulièrement élevé de soldats français, au sein de la FORPRONU, tombés ici même – visages fermés, dignes, des officiers. Engagement impartial également, même si le devoir de protection assumé sans faillir ne devait pas empêcher le devoir de mémoire. La Première Guerre mondiale, qui avait commencé ici, à Sarajevo, avait vu l'armée serbe, le peuple serbe, aux côtés de la France. L'oublier serait trahir notre histoire – visages fermés, approbateurs, des officiers. Si la population bosniaque avait sa souffrance, la population serbe avait également la sienne, peut-être trop souvent ignorée des organisations humanitaires. Bien sûr, il était difficile, alors que la guerre et le siège faisaient rage, d'intervenir partout. Mais dès que la situation le permettrait, ce serait l'honneur de la France que de prendre l'initiative, non seulement politique mais aussi et d'abord humanitaire, en portant assistance, sans discrimination, aux populations serbes tout autant qu'aux autres. L'armée française, il le savait, répondrait « présent », comme elle avait toujours su le faire, pour prêter la main et faciliter la mise en œuvre de cette assistance – visages convaincus, disponibles, des officiers. Quant à lui, Mehdi Khamou, il se tenait prêt à soutenir, appuyer, auprès du gouvernement français qui avait quelques moyens, toute initiative en ce sens prise par une organisation humanitaire française. Pour conclure, Mehdi Khamou était arrivé dans cette ville avec une idée pour tout programme : faire du bon boulot. Après avoir observé la partie, il savait ce que les Français qui jouaient sur ce terrain avaient dans le ventre. Et surtout, il savait que tous ensemble, ils allaient faire du bon boulot.

Le discours fut salué poliment. Mehdi Khamou fit remarquer que « ça donnait soif de parler » et, aidé des officiers qui devaient considérer que le service du vin était une mission qui leur revenait d'autorité, entreprit d'honorer les verres de cristal. Il vida lui-même le sien d'un trait, avant de le remplir. Une conversation de bon ton s'engagea avec l'arrivée des entrées. Titillé par ce qu'avait laissé sous-entendre ses propos, l'un des chefs de mission demanda à Mehdi Khamou si la présence, en tant que chef d'état-major adjoint, du général d'origine serbe Diviak au sein de l'Armija[1] ne démontrait pas que l'histoire, cette fois-ci, avait changé de camp.

« Diviak n'est qu'une marionnette, répondit Mehdi

---

1. Armée bosniaque.

Khamou. Les Bosniaques l'ont nommé chef d'état-major adjoint pour la galerie. Il n'a aucune autorité – hochements de tête approbateurs des officiers. Ils se servent de lui pour racoler le soutien occidental, et lui, il trahit son peuple. Et chef d'état-major adjoint, ça veut dire quoi? Il faudrait déjà qu'ils en aient un vrai, d'état-major – sourires amusés des officiers. Croyez-moi, je sais de quoi je parle, un état-major, c'est autre chose que le campement de manouches du commandement bosniaque.

— Vous avez été dans l'armée?

— Si vous tenez à le savoir, eh bien figurez-vous que oui. Votre serviteur est un ancien militaire de carrière, et il se trouve que j'ai passé pas mal de temps à l'état-major des armées. C'est là-bas que j'ai appris à être curieux, et la curiosité, ça mène à tout. »

Le débat se perdit dans la chaleur du vin et la facilité des bons mots. Un vrai dîner parisien. Antoine réfléchissait. « Trahir son peuple. » Le 5 février 1994, il y avait eu soixante-huit morts et cent quatre-vingt-dix-sept blessés en quelques secondes au marché Markale; deux obus de mortier. Certaines des victimes étaient serbes, c'était des habitants de Sarajevo. Antoine, quand il avait le temps, aimait bien aller se promener au marché Markale, si différent et si proche de celui du samedi matin, à Gikongoro. Autour des étals alignés, pauvrement garnis et tenus par des babas emmitouflées, des femmes en fichus proposaient des cartouches de cigarettes de contrebande. Tous les expatriés de Sarajevo venaient s'approvisionner là. Personne n'avait envie d'arrêter de fumer, à Sarajevo. Antoine, qui, par association d'idées, s'était penché pour allumer une cigarette à l'une des bougies en attendant le plat de résistance, se tourna vers son voisin commandant et lui demanda si le massacre du marché Markale pouvait s'inscrire, compte tenu de l'hétérogénéité des victimes, dans le continuum historique franco-balkanique.

« Markale ? Ne me faites pas rire. Deux coups au but, sans tir de réglage ? Croyez-moi, pour un professionnel, c'est signé, cette saloperie. C'est encore un coup de pute des Bosgnoules.

— Les quoi ?

— Les Bosgnoules, monsieur. »

Antoine resta un moment interdit. Il repensa à l'officier autrichien d'Alpenjäger, à Gikongoro, et à sa dignité triste, désespérée. Le commandant avait commencé à tailler dans son agneau avec appétit. Antoine vit qu'il portait une chevalière. Une capsule de sainte colère se brisa pour se répandre, instantanément, dans ses veines. Il écrasa sa cigarette.

« Mon commandant, permettez-moi de vous faire part d'un souvenir qui me revient à l'esprit. Avant d'arriver ici j'ai eu l'occasion d'effectuer une mission humanitaire en Afrique — chez les Bamboulas, diriez-vous. C'était au Rwanda. Et là où j'étais, il y avait un petit contingent de Casques bleus, de vos collègues, en quelque sorte. Parmi eux se trouvait un officier autrichien remarquable. Cet homme, savez-vous, n'aimait de son pays que les montagnes — c'était un chasseur alpin, du reste — parce que, selon lui, c'était un pays de nazis. Mon commandant, que peut-on aimer de son pays quand ceux qui ont le devoir de le représenter et de le défendre vous font honte ? »

Le commandant ne répondit pas. Il regarda Antoine bien en face pendant quelques secondes, comme pour mémoriser précisément ses traits, avec toute la froideur menaçante d'un périscope de char, puis il se tourna vers le reste des convives, ignorant définitivement son voisin.

En fin de soirée, les carafes étaient vides et Médicament avait pris sa bouteille de sirop. Plus tard, en sortant de *L'Aeroplan*, Antoine leva les yeux vers le ciel. C'était un ciel profond, incroyablement clair. Chaque étoile scintillait joyeusement, se détachant de la voûte qui semblait attendre des guirlandes. Une dizaine d'années auparavant, les milliers de participants aux Jeux olympiques d'hiver de Sarajevo avaient dû contempler ce ciel de fête.

Quand Antoine regagnait, le soir, la maison en voiture, il empruntait la voie Obale Kulina Bala, qui longeait la Miljacka et que se partageaient, avant la guerre, tramways et automobiles. Parfois, avant de tourner au bout pour remonter dans Bascarsija, il s'arrêtait à couvert d'une ruelle adjacente, pour visiter ce qui restait du bâtiment triangulaire, massif, à l'angle du virage. C'était là que se trouvait, avant, la Bibliothèque nationale et universitaire de Bosnie-Herzégovine. La nuit du 25 août 1992, les Serbes l'avaient bombardée aux obus incendiaires, sur instruction expresse du général Ratko Mladic, dont on avait enregistré les ordres de tir à la radio. Plus de six cent mille livres anciens et manuscrits étaient partis en fumée. Des originaux d'ouvrages historiques, théologiques, géographiques, scientifiques, des exemplaires anciens du Coran, des Hadith, de la Torah, des recueils de poèmes de l'époque ottomane, des commentaires soufis, des arrêts de cour, des disputes talmudiques, des ordres impériaux, des comptes rendus politiques, des encyclopédies, des lettres de change, des lettres d'amour, des romans et des dictionnaires. Il ne restait que des cendres et des ruines. Seule la façade de la bibliothèque, aux colonnes et aux arches décorées d'arabesques, était restée présentable, comme un décor de western. À l'intérieur, le sol était recouvert d'une épaisse couche de gravats. La verrière s'était effondrée ; il y avait des bouts de bois brûlé, des fragments de papier calciné, des éclats de verre noirci, du métal tordu et des pierres brisées partout. Antoine s'arrêtait sous le vide béant de la coupole disparue, au milieu du hall central, puis il gravissait, sur la gauche, ce qui avait été le grand escalier de marbre hongrois et qui n'était plus qu'une pente de cendres durcies, agglomérées, tellement épaisses qu'elles recouvraient les marches, pour atteindre le premier étage et le balcon dévasté qui surplombait la Miljacka. Antoine restait là, absorbant jusque dans ses os l'apocalypse gravée dans le silence. La vieille bibliothèque de Sarajevo tenait la place, dans son esprit, qu'avait occupé, à Gikongoro, la basilique de Kaduha. On pouvait y voir les traces, non pas les plus cruelles, mais les plus profondes, de la barbarie. On y trouvait également la révélation de ce qu'il y avait derrière le nettoyage ethnique : l'extermination de l'intelligence. Antoine avait découvert, aussi, comment le siège de la ville était parvenu à achever, au domicile de chaque Sarajevien, l'autodafé commencé ici même. Chacun avait eu à se faire le liquidateur de sa propre culture. Pour survivre au froid terrible des hivers sans électricité, sans chauffage, les Sarajeviens avaient commencé par brûler les poutres, les portes, les fenêtres et les meubles brisés dans les maisons et bâtiments détruits. Ensuite, ils étaient allés couper les arbres sur les collines et dans les parcs. Puis ils avaient été chercher le bois des croix dans les cimetières, et quand les arbres n'étaient plus que des souches ils étaient revenus pour scier les souches. Les bombardements, en détruisant ici ou là quelque chose, offraient pour un temps un nouveau gisement de bois pour les habitants du quartier, mais en deux jours c'était fini. Les enfants organisaient de grandes expéditions, parfois mortelles, pour ramener chez eux une planche repérée avant les autres. Les techniques de la chasse au bois se développaient. Crochets et ficelles permettaient de tirer une belle pièce dans la neige sur plusieurs kilomètres. Bientôt, il avait fallu commencer à brûler les magazines et les journaux, les cahiers et les carnets. Le deuxième hiver du siège était venu, et le froid avait entamé la résistance de ceux qui avaient gardé leur bibliothèque. Ils avaient d'abord brûlé les livres pratiques, les livres d'école, les romans de gare, puis ils avaient dû prendre, un par un, les livres qu'ils avaient relus, qu'ils avaient annotés, déformés, les livres qu'ils pensaient ouvrir encore à la fin de leurs jours. Ils avaient retardé l'échéance pour les plus chers à leur cœur, mais le troisième hiver du siège était arrivé, et après les livres il ne restait plus que le dépotoir à ordures sur la colline où l'on pouvait fouiller et peut-être trouver quelque chose qui pouvait se consumer en donnant un peu de chaleur. Les Sarajeviens qui avaient brûlé leurs livres mettaient les mains dans les poches de leurs manteaux et y trouvaient, parfois, des jetons oubliés de téléphone, de tram ou de bus, maintenant inutiles et sans objet. Ils rentraient s'enfermer chez eux et s'enroulaient dans des couvertures. Dans le noir, ils écoutaient des postes de radio branchés sur des batteries de voiture qui leur transmettaient l'écho d'un monde auquel ils avaient cru appartenir, et qui les laissait mourir. Beaucoup ne sortaient plus de leur quartier, parfois de leur domicile. Chaque jour, au hasard, la mort fauchait l'un ou l'autre, et le journal *Oslobodenje*, acheté pour consulter la liste des tués de la journée, était immédiatement brûlé.

La vieille ville était un labyrinthe gardé par les chats. Il y en avait partout. Sur les murets de pierre des ruelles étroites, dans les ruines des maisons détruites, et sous le toit des habitations intactes. Semblables à ceux qui tenaient à Paris le Père-Lachaise, une colonie s'était établie au milieu des tombes et des herbes sauvages du cimetière près de la maison. Certains étaient des habitués, des connaissances, qui venaient régulièrement, entrant par une fenêtre entrouverte, prendre les restes d'un repas ou un peu de chaleur, avant de repartir à leurs affaires. Une fois, alors qu'il descendait l'un des escaliers tortueux qui menaient à la grande rue Mula Mustale Baseskja, Antoine en avait vu deux, à l'angle des marches disjointes, en train de copuler. Il s'était arrêté pour les regarder, assis sur la pierre froide. C'était impossible à expliquer, mais en les voyant faire, il avait compris que le siège de Sarajevo s'arrêterait un jour.

Tous les matins, sauf le dimanche, Antoine assurait la radio-vacation à huit heures trente. Une à une, il appelait sur la HF les bases opérationnelles, en commençant par Split, puis Pazaric qui était la plus proche de Sarajevo, puis Zenica en Bosnie centrale, ensuite Tuzla au nord, et enfin Bihac dans la poche du même nom assiégée à l'ouest du pays. Certains jours, ça ne passait pas, et il ne réussissait à contacter qu'une partie des équipes. Le téléphone était de peu de secours. Une grande partie des lignes intérieures avait été détruite ou coupée. Antoine avait plus de chance d'arriver à joindre Paris qu'une ville en Bosnie. À part Split et Pazaric, il ne s'était pas encore rendu sur les bases opérationnelles. La fonction de chef de mission l'avait retenu à Sarajevo le temps de « connaître tout le monde et faire son trou dans les meetings », comme avait dit Vincent. Il était temps de s'absenter du barnum pour aller sur le terrain. À Gikongoro, le lendemain de son arrivée, il était déjà dans les camps. Mais Sarajevo était un terrain à part entière, si on s'en tenait au nombre des victimes. La « météo » était favorable : bombardements irréguliers et combats sporadiques. Dragan vint le rejoindre, et ils quittèrent Sarajevo par Igman un matin pour visiter les bases de Zenica, puis Tuzla si possible. Relier Tuzla à partir de Zenica n'était jamais évident. Il fallait traverser deux lignes de front : avec les Croates, et avec les Serbes. Après Visoko, qui avait été l'enjeu de combats violents, la route de Zenica était dégagée. Ils étaient sur Finch et devaient prendre ensuite Lada pour atteindre Zenica. Ils avaient perdu beaucoup de temps sur Igman, et la matinée était avancée quand ils arrivèrent au carrefour. Une gargote installée en retrait de la route proposait des *chevabcici*. Ils s'arrêtèrent. Dragan était de bonne humeur. Il commanda deux portions au tenancier qui fit oui de la tête sans lever les yeux. Le *chevabcici* constituait la version bosniaque de l'étouffe-chrétien. Une grosse miche de pain gras et lourd, coupée en deux, dans laquelle brochettes et saucisses hachées après une cuisson à l'huile étaient fourrées à la main. Derrière le cuistot, il y avait une photo défraîchie, dans un cadre, accrochée au mur de la baraque. Elle montrait une équipe de football qui posait fièrement devant un ballon. Les cheveux des joueurs étaient longs, et les maillots rayés portaient l'inscription *Partizan*.

Antoine, en regardant le cliché, ressentit un peu de ce que devait être la nostalgie yougoslave. Au café *Lora*, à Sarajevo, Dragan lui avait raconté qu'il avait fallu qu'une fille lui dise qu'elle préférerait coucher avec un chien plutôt qu'avec le fils de deux porcs pour qu'il prenne conscience qu'il était serbo-croate. C'était au début de la guerre. Il n'était jamais allé plus loin que cette anecdote, mais aujourd'hui, il était de bonne humeur.

« Qu'est-ce que tu faisais, Dragan, avant de travailler pour notre organisation ?

— Je me débrouillais.

— La guerre ?

— Je n'ai tué personne, et je n'ai jamais porté d'arme ni d'uniforme. »

Le cuistot vint déposer les *chevabcici* et deux *pivos*.

« Il ne devait pas y avoir beaucoup de travail pour un Serbo-Croate en zone musulmane. »

Dragan avait déjà avalé la moitié de son *chevab*. Il mangeait toujours plus vite que tout le monde.

« Quand la vie ne vaut plus très cher, on peut se débrouiller pour gagner sa vie.

— Je ne saisis pas.

— Pendant la première année de la guerre, j'ai travaillé dans un café à Breza. Je devais juste réclamer l'argent aux soldats qui venaient boire au retour du front. Ils ne pensaient pas qu'ils avaient à payer parce qu'ils portaient des armes et qu'ils étaient en groupe, et qu'ils venaient de tirer sur des hommes et de se faire tirer dessus. Mais je leur demandais l'argent quand même. C'était mon travail.

— Tu aurais pu te faire tuer. »

Dragan rit de bon cœur. Il avait fini de manger et prit la cigarette que lui tendait Antoine.

« Oui ; ils étaient fous de rage. Souvent ils étaient ivres aussi, et avaient passé trop de temps avec la mort. On pouvait voir ça dans leurs yeux. Mais j'étais prêt et je m'en fichais. Je pensais bien que j'allais me faire tuer de toute façon. Alors ils me regardaient en se demandant si ça leur plairait vraiment de faire ça, et ils sortaient de l'argent et s'en allaient en me disant qu'ils étaient trop fatigués pour me tuer. Et puis un jour j'ai entendu qu'une organisation humanitaire cherchait un chauffeur-traducteur.

– J'aurais aimé t'avoir à mes côtés dans les camps au Rwanda. On aurait fait du bon boulot ensemble, je crois. »

Dragan haussa les épaules. Il n'était jamais sorti du pays et ne voyait pas bien ce que voulait dire Antoine. Ils finirent leurs bières et remontèrent dans le pick-up. Il y avait un peu plus de véhicules qui roulaient sur Lada. Ils passèrent plusieurs villages, et dans chacun, Antoine vit l'indication *Vulkanizer*, sur une planche fixée contre un poteau ou sur la façade d'un atelier. Le *vulkanizer* était une institution balkanique, petit artisan de village, grand rechapeur de pneu et forgeron d'occasion. Cette fois-ci, ils pouvaient crever tranquillement tous les pneus du Toyota un par un. Antoine réfléchissait. Il essayait de deviner, par ce que Dragan avait raconté de la guerre et par ce qu'il savait de lui, ce que le coordinateur bosniaque de la base de Zenica, qu'il allait rencontrer dans une demi-heure, pouvait bien avoir dans la tête. L'homme, qui se nommait Sinisa, disposait au sein de l'équipe bosniaque d'une autorité particulière. Il était croato-musulman et avait été colonel, d'abord dans le HVO croate, puis dans l'Armija bosniaque, avant de renoncer à se battre puis de rejoindre ID. Il était assez vite devenu responsable de la base de

Zenica. « *He is the boss, over there*[1] », disaient de lui les Bosniaques. Un homme qui avait été officier supérieur, successivement dans deux camps qu'une guerre civile radicale – Antoine se souvenait de la ligne de front à Mostar – opposait, et qui était encore vivant ne pouvait qu'en imposer. Dragan parlait de lui avec respect.

Zenica n'était pas belle. Faubourgs et échangeurs tristes ceinturant une ancienne ville yougoslave industrielle et laborieuse. Barres d'immeubles laids et abîmés, petites maisons délabrées serrées les unes contre les autres, avec les anciens jardinets que l'on tentait de transformer en potagers. Ils contactèrent la base sur la HF pour prévenir qu'ils arrivaient. L'opératrice radio de Zenica parlait mal anglais, et ils durent épeler le code radio du véhicule, qui était « Batman » : bravo, alpha, tango, Mike... Au moment où Antoine ouvrait la bouche pour articuler « alpha », une explosion lourde, puissante et assourdie à la fois, interrompit la communication. « Missile », dit Dragan, en continuant à conduire calmement. « *There has been a missile attack on the town ; are you OK, over*[2] ? demanda au bout d'un moment la voix de l'opératrice radio. *We are OK, coming to you, over and out*[3] », répondit Antoine. Il n'y eut pas d'autre tir. Les gens dans les rues n'avaient pas couru pour se mettre à couvert. Zenica n'était pas Sarajevo. C'était une ville que l'on arrivait parfois à atteindre avec un missile, pas un piège que l'on bombardait à volonté. C'était une ville agressive et dure, aussi. Il y avait pas mal de barbus dans les rues. Beaucoup étaient des combattants

1. « C'est le patron, là-bas. »
2. « Il y a eu un missile sur la ville ; êtes-vous OK, à vous ? »
3. « Nous sommes OK et arrivons, terminé. »

de la 7ᵉ brigade de volontaires islamiques, basée dans le secteur. Des Arabes, des Pakistanais, des Tchétchènes et d'autres, qui pour certains étaient déjà allés s'entraîner en Afghanistan. Ils étaient venus en Bosnie pour le Jihad et s'étaient fait, au sein de l'Armija qui les utilisait comme troupe de choc, une réputation de férocité. Leur islam était loin de celui des musulmans bosniaques, mais les guerres civiles sont d'excellents endroits pour se former au combat. Dragan, au bout d'un labyrinthe de rues toutes semblables, arrêta le pick-up devant une cité qui avait dû, auparavant, être d'un standing avantageux. La base de Zenica était au troisième étage de l'immeuble principal.

La porte des bureaux était ouverte. Ils entrèrent dans une sorte de salon où l'opératrice radio-secrétaire, le logisticien et un responsable de terrain bosniaques travaillaient. Ils se levèrent pour saluer leur chef de mission, qu'ils voyaient pour la première fois. Antoine échangea quelques mots avec chacun, puis la secrétaire indiqua de la tête la pièce du fond, entrouverte, avec un sourire : « *He is so happy to meet you, at last*[1] ! » Antoine hocha la tête et laissa Dragan avec l'équipe. Il entra dans la pièce et vit Sinisa. Cent vingt kilos de muscles pour un mètre quatre-vingts environ. Une tête rasée à la Tarass Boulba, dans laquelle des yeux d'une extrême intelligence et un sourire de faux-monnayeur contredisaient la brutalité. Antoine pensa à la phrase de Nietzsche : « Ce qui ne te tue pas te rend plus fort. » Une bonne partie de la vie de Sinisa avait dû s'inscrire dans cette vérité. Il avait une quarantaine d'années et se tenait debout comme une montagne.

---

1. « Il est tellement heureux de vous rencontrer enfin ! »

178

« *Kako e, cheffe ?*
— *Dobro, Hvala, e ti ?*
— *Ma, nema problema ; the situation is under control, znach* [1]. »

Sinisa avait une voix basse, chaude, légèrement théâtrale. Antoine referma la porte derrière lui. Ils s'assirent de chaque côté du bureau. Antoine posa ses coudes et, appuyant son menton sur ses mains, regarda l'homme en face de lui. La posture de Sinisa était détendue, et c'était ce relâchement qui rendait encore plus palpable, plus inquiétante, sa puissance physique. Il y avait quelque chose de délibérément insoumis dans son attitude. Sinisa était le patron sur son territoire. Il était né à Travnik, près de Zenica, et connaissait tout le monde : les autorités, la police, la mafia locale, les autres ONG et l'Armija, bien sûr. L'aide humanitaire qu'il distribuait au nom d'Intervention Directe nourrissait son prestige, alimentait son réseau. Il couvrait également les besoins de tous les déplacés qui n'avaient rien, des pauvres et des gypsies de son secteur. Il était comme un seigneur médiéval sur ses terres. Il n'oubliait ni les petits ni les notables. Mais Antoine était le nouveau chef de mission, et toutes les denrées qui arrivaient dans l'entrepôt de Zenica étaient envoyées avec son accord, et dans le cadre de programmes dont Antoine avait la responsabilité. Sinisa devait des comptes à Antoine, mais il n'était pas prêt à lui abandonner les clés de son domaine. Il devait avoir les moyens de foutre en l'air la logistique bien huilée d'ID en Bosnie, ou même de faire tuer un expatrié, fût-il chef de mission, si on lui faisait perdre la

---

1. « Comment ça va, chef ? – Bien, merci, et vous ? – Ma, pas de problème ; la situation est sous contrôle, vous voyez ce que je veux dire. »

face. Vincent avait dit à Antoine qu'il avait renoncé à contrôler Sinisa, que celui-ci avait toujours une arme sur lui et que le jeu n'en valait pas la chandelle. Mais Antoine avait appris à parler à des hommes dangereux dans les camps. Il savait aborder gentiment les sujets qui fâchent, et poser les règles avec une voix douce de missionnaire. C'était comme le travail de Dragan dans son café. Il fallait faire comprendre qu'on ne voulait manquer de respect à personne, mais qu'il y avait des choses qui devaient être faites, et d'autres qui devaient s'arrêter, et qu'on était prêt à aller jusqu'au bout, et qu'il serait probablement plus désagréable d'avoir à tuer quelqu'un plutôt que de composer avec la réalité. Antoine était la nouvelle réalité de Sinisa. Ils restèrent près d'une heure dans le bureau fermé. Plusieurs fois, les phrases échangées eurent la volatilité explosive de la nitroglycérine, mais aucun des deux ne prononça de mot maladroit. Travail de haute précision les yeux dans les yeux. Vers la fin, Sinisa, qui connaissait la fascination pour les armes de beaucoup de volontaires humanitaires, posa un dernier piège.

« *Cheffe*, je pense à ça tout d'un coup. Vous avez de quoi assurer votre sécurité personnelle? Avec cette guerre et tout le monde avec des armes, la Bosnie est un endroit dangereux. Vous devriez penser à votre protection. Si vous voulez, je peux vous rendre service. Je peux vous procurer ce que vous voulez : pistolet, fusil d'assaut, même une mitrailleuse si vous en avez besoin. Je connais beaucoup de gens dans l'Armija, pour moi, ce n'est pas difficile. Bien sûr, cela restera entre nous.

– Je suis vraiment reconnaissant pour cette proposition. Je sais que je me trouve dans un endroit où l'on peut se faire tuer comme un imbécile. J'ai appris dans un autre endroit dangereux que le meilleur moyen de survivre au milieu de beaucoup de gens armés, c'est de ne pas porter d'arme. Je sais aussi que vous avez été un soldat dès la bataille de Vukovar en Croatie, et je respecte les soldats. Mais je suis venu ici pour diriger une mission humanitaire, et les armes ne m'intéressent pas pour le moment. Je préférerais que vous me fassiez un inventaire complet de votre entrepôt, et que vous me communiquiez le programme précis des distributions sur les prochains deux mois, avec la liste des villages et le nombre de bénéficiaires.

– *Ma nema problema for that!* Comme ça vous pourrez nous envoyer de Split ce qui nous manque. J'ai horreur de devoir dire non à quelqu'un qui a besoin. C'est mon pays, ici, et quand l'entrepôt est vide, j'ai envie de pleurer. »

Antoine ne put réprimer un sourire. Sinisa se pencha en arrière dans son fauteuil, étirant sa masse. Il souriait lui aussi, et ses yeux pétillaient d'une malice presque gourmande. Ils se levèrent pour aller rejoindre le reste de l'équipe, qui avait ouvert une bouteille de sljivovica.

Antoine était reparti avec Dragan, et les membres de l'équipe de Zenica avaient salué, un par un, Sinisa. Il n'y avait plus que lui dans la grande pièce commune. Il était assis dans un fauteuil club aux accoudoirs calcinés, qui avait été récupéré dans la mairie d'un village croate où plus une maison n'était demeurée intacte. Il restait un fond dans la bouteille de sljivovica, et Sinisa se pencha pour remplir un verre. Son ventre sortait de son pantalon. Il y avait des gens qui croyaient que Sinisa était gros. Mais son ventre avait la densité d'un sac de farine trempé, ses bras étaient capables de soulever une voiture pour la mettre dans le fossé, et il pouvait être aussi rapide et dangereux qu'un grizzly. Il s'adossa de nouveau, prit son verre dans sa main droite, sortit son arme de sa poche et la posa sur la petite table où la bouteille vide attrapait les derniers rayons de l'après-midi. C'était un revolver calibre 38 à canon court, qui pouvait tenir dans une poche. Dans les autres poches de sa veste, il y avait trente mille deutsche mark en liasses de grosses et moyennes coupures, son passeport, et aussi un faux passeport croate. La plupart des camarades avec qui Sinisa avait fait la guerre étaient morts. Il y avait des hommes qui ne l'aimaient pas, et des hommes qui avaient peur de lui. Il y avait des fantômes qui venaient troubler ses nuits, et chaque jour un échiquier rugueux et délicat de besoins, de faveurs, d'intérêts, de sympathies et de rancunes se présentait à lui. Des choses qu'il fallait être bosniaque pour comprendre. Sinisa avait vu d'autres Français, avant Antoine, qui étaient venus lui apprendre le catéchisme humanitaire. Il avait oublié leurs noms. Antoine n'avait pas allumé de cigarette pendant leur tête-à-tête, comme faisaient tous les Français pour se donner une contenance devant lui. Il n'avait pas eu de tic nerveux, et ses yeux l'avaient regardé en face comme des yeux de paysan qui doit acheter un tracteur d'occasion, en cherchant juste à savoir s'ils allaient pouvoir faire affaire ensemble. Sinisa était pensif.

Il sera peut-être possible de travailler avec celui-là. Cet « Antoine » ne ressemble pas aux autres qui viennent de Paris pour me dire ce que je dois faire. Ils croient connaître le bien et le mal. Moi je sais que le bien, c'est juste ce qui permet d'être encore vivant demain. Dragan dit qu'on peut lui faire confiance et qu'il n'est pas comme les autres. On peut croire Dragan ; il est comme moi, c'est un pauvre Yougo. Il n'a pas voulu faire la guerre pour ne pas choisir de camp. Moi, j'ai choisi de faire la guerre dans mes deux camps, et je ne me suis jamais trahi, car je suis encore vivant. Il y avait une chanson comme ça que l'on entendait partout, à Travnik, dans les années soixante-dix. Ça parlait de fraternité et de trahison. On écoutait les disques américains, et on répétait « faites l'amour pas la guerre », à cette époque. Surtout à Travnik. C'était la ville où l'on expérimentait le beatnik yougoslave. Le père Tito laissait faire. Tous frères, c'était un truc qui devait l'arranger, lui qui avait décidé que les équipages de chars, dans l'armée, devaient être composés de représentants des différents peuples de la Fédération yougoslave : un Serbe, un Bosniaque, un Croate, un Slovène… Sauf que l'état-major de la JNA¹ et le commandement de la plupart des divisions blindées étaient à Belgrade. À Vukovar, ils n'avaient pas eu trop de problèmes pour nous envoyer six cents chars et véhicules blindés servis par des équipages serbes. Le 18 novembre 1991, vers midi, quand le commandant Mile Dudakovic nous a ordonné de déposer les armes, nous leur en avions détruit la moitié. Malgré le siège, nous arrivions à faire entrer quelques lance-roquettes et des munitions, la nuit, en passant entre les villages de Marinci et Bogdanovici. Mais nous n'étions même pas deux mille à défendre la ville. Les miliciens du HOS², des habitants et les volontaires avec lesquels j'étais venu de Bosnie. La plupart d'entre nous n'avaient aucune expérience de la guerre. Mais en une journée, si on ne se faisait pas tuer tout de suite, on apprenait toutes les manières de faire mourir des hommes, à Vukovar. Pendant les trois mois du siège, les bombardements n'ont pas cessé. On n'y faisait plus attention. Quand on n'était pas sur la ligne de front, on restait allongé dans les caves.

1. « Jugoslav National Army » : armée nationale de la Fédération yougoslave.
2. Milice du parti croate du droit, embryon de l'armée croate.

On sentait la terre qui vibrait à cause des obus qui explosaient en permanence, et l'odeur de tous les cadavres que plus personne n'enterrait. Nous n'avions pratiquement plus rien à manger ni à boire. Plus personne ne se lavait ; les vivants puaient presque autant que les morts, et nos treillis étaient une seconde peau de crasse, de vermine et de sang séché. À la fin, nous n'avions plus assez de cartouches pour tirer en rafale. Nous tirions au coup par coup, embusqués dans les ruines, en essayant de tuer un Tcheknik à chaque fois. Nous avions décidé de garder la dernière balle pour nous. J'avais glissé cette balle dans la poche de ma veste, contre mon cœur, et de sentir son poids net qui battait sur ma poitrine me rendait heureux. Je n'avais plus peur. Mais notre commandant nous a ordonné de déposer les armes. Il a pensé qu'on pouvait peut-être, comme ça, sauver les civils et les blessés. Plus de cinq mille Tchekniks sont morts à Vukovar. Ils disaient que toute terre où un Serbe est enterré est une terre serbe. Nous leur avons offert un grand cimetière serbe. Il n'y a pas eu de prisonniers, là-bas. Le 18 novembre, les assassins aux ordres de Seselj, qui n'étaient pas des soldats et qui n'avaient jamais eu que le courage de tirer sur des civils désarmés, sont entrés dans la ville où il y avait des incendies partout, avant les soldats de la JNA. Ils chantaient « ce soir il y aura de la viande, nous égorgerons les Croates ». À l'hôpital, il y avait encore plus de deux cents blessés. Ils ont tous été trucidés sur leurs grabats, avec les infirmières et les médecins qui étaient restés avec eux. Les habitants rescapés ont été rassemblés dans le stade. Les hommes en âge de combattre, ils les ont mis de côté pour s'en occuper avec nous, qui devions sortir de nos positions et nous regrouper. Quand il n'est plus resté au stade que les vieillards, les femmes et les enfants, ils en ont emmené une partie dans leurs camps de concentration et ont massacré le reste. Les hommes de Seselj ont montré l'exemple en égorgeant les enfants. Nous avions compris ce qui nous attendait. Alors, avec un *petit groupe du HOS, nous sommes restés au milieu des cadavres qui pourrissaient le plus, car nous savions qu'avec l'odeur ils ne s'approcheraient pas tout de suite, et nous avons réussi à sortir en rampant, la nuit. Quand j'ai rejoint les rangs du HVO croate, en Bosnie, ils m'ont dit que j'étais un héros et ils m'ont nommé commandant, puis colonel. Même mes hommes avaient peur de moi. Tant que nous nous sommes battus contre les Serbes, je ne ressentais aucune pitié. Et puis les combats avec ceux qu'au HVO on appelait les musulmans ont commencé, et j'ai vu des miliciens croates qui revenaient d'avoir nettoyé des villages musulmans, et je me suis souvenu que mon père était musulman. J'ai demandé à ces miliciens de se regrouper en éclaireurs, pour ouvrir la voie à mon unité en allant reconnaître un autre village musulman, puis j'ai contacté l'Armija sur leur canal radio pour donner leur position. Le HVO a mis ma tête à prix, et je n'étais plus un héros, mais j'avais déjà rejoint les lignes bosniaques. Quand un officier de l'Armija m'a dit qu'un traître restait un traître, j'ai pris sa main qui tenait son pistolet, et je l'ai forcé à appuyer l'arme sur mon front, et je lui ai dit qu'un homme restait un homme, et que j'étais déjà mort à Vukovar. Ils avaient besoin d'officiers expérimentés et ils m'ont envoyé à Visoko, que les Serbes essayaient de prendre en tenaille, et j'ai été colonel à nouveau. Après les conseillers américains sont arrivés, et les volontaires isla-miques qui parlaient de martyre, et tout le cirque ne voulait plus rien dire, et j'ai rendu mes galons. Maintenant je fais ce que je dois faire pour être encore vivant demain, et je me suis arrangé pour qu'il y ait beaucoup de gens qui aient besoin de moi. Je me demande si je serai encore là quand on entendra à nouveau des jeunes gens chanter en chœur des chansons idiotes dans les rues de Travnik. Les petits Français disent que j'ai survécu à une guerre civile. Ils ne comprennent rien. Je suis une guerre civile.*

La base capitale avait officiellement déménagé à Sarajevo. Antoine avait contacté Équilibre, qui mit plusieurs de ses camions à disposition pour charger sur un convoi le matériel qui remontait de la côte dalmate. Il ne restait à Split qu'une antenne logistique, et bien sûr la terrasse sur la mer. De vrais bureaux furent loués à Sarajevo, dans ce qui avait été auparavant la chambre de commerce de Bosnie-Herzégovine. Les locaux, vastes mais abîmés, n'étaient pas chers. Il n'y avait plus de vitres aux fenêtres mais des bâches plastique transparentes, fixées par d'épais rubans adhésifs noirs. Un missile, en explosant à proximité du bâtiment, avait soufflé l'une des pièces et incrusté dans ses murs et sa porte des centaines d'éclats de verre. Dans la grande pièce principale, un portrait de Tito tenait encore au mur. C'était une photographie grand format, le montrant de trois quarts, en costume et cravate, dans la fameuse pose où il regardait, tel un géant, l'Histoire, par-dessus les foules yougoslaves qu'ils avaient unies pour l'éternité. À l'unanimité, il fut décidé de conserver le portrait à sa place. L'équipe s'était sérieusement étoffée. Un logisticien et un coordinateur de programme venaient d'arriver de Paris, et Robert, le nouvel administrateur, était remonté de Split. C'était sa première mission, et il n'en revenait pas d'être à Sarajevo. Robert, après un BTS action commerciale, avait travaillé dans un garage parisien prestigieux, concessionnaire des marques Jaguar et Land Rover. Il vendait des voitures de luxe et des 4 × 4 haut de gamme à des hommes mûrs. Les Jaguar étaient belles, mais celles qu'il aimait, c'étaient les Land Rover. À force d'apprendre par cœur les brochures où on les montrait sur les terrains les plus difficiles, il avait fini par rêver d'aventure. Quand un

ancien camarade d'école lui avait dit qu'une ONG cherchait un administrateur pour sa mission en Bosnie, il avait
saisi la chance par les cheveux. Il était remonté de Split en
convoyant un Toyota, et se sentait heureux. Tout le monde
l'appelait Bob. Bob incarnait, avec son physique de lascar
bien élevé et son visage fait pour se fendre la gueule et
fumer des gauloises, l'archétype de l'esprit français. Il se
montrait également efficace, se chargeant de l'aménage-
ment de la nouvelle base et du recrutement du personnel
local. Un assistant et une secrétaire bosniaques furent
embauchés. Antoine eut l'impression, subitement, de devenir le patron d'une entreprise florissante. La grande maison de Bascarsija était maintenant pleine à craquer. Les
nouveaux apprirent rapidement à profiter des quelques
heures d'alimentation en eau pour constituer des réserves.
Les dizaines de bouteilles en plastique de Coca-Cola rem-
plies au robinet s'alignaient dans les différentes pièces.
Ils trouvaient cette pénurie excitante. Pour marquer
le nouveau départ qu'abritait le vieux logis, une fête y
fut organisée, d'autant qu'une accalmie dans les bombardements et un retour temporaire de l'électricité s'y
prêtaient.

La soirée fut très réussie. Il n'y eut aucune coupure de
courant, et une bonne partie de la communauté humanitaire de Sarajevo s'y retrouva. Les 4 × 4 aux couleurs des
diverses ONG étaient garés comme ils pouvaient dans les
ruelles autour de la maison. On avait tiré les rideaux à
toutes les fenêtres, et une chaîne stéréo toute neuve, ache-
tée au PX de la FORPRONU en même temps que les
bouteilles d'alcool, assurait un volume sonore conséquent.
Chaque pièce était emplie d'expatriés occidentaux dan-
sant, buvant, fumant, draguant et racontant, en français ou

en anglais, les moments les plus forts de leur mission ici, ou d'une autre, ailleurs, avant. Antoine avait invité Dragan et les deux nouveaux employés bosniaques de Sarajevo, mais Dragan n'aimait pas les fêtes d'expatriés, et les deux autres ne disposaient pas de la carte d'accréditation des Nations unies qui permettait, en général, d'obtenir l'indulgence des patrouilles de police après le couvre-feu. Bob draguait toutes les filles qui parlaient français, parfois deux en même temps, avec, semblait-il, comme objectif essentiel d'échouer le plus brillamment possible. Antoine se sentait éveillé. Il sirotait son Black and White sur un canapé, dans le salon où la chaîne hi-fi était installée. Une conversation s'engagea avec les chefs de mission d'Action Internationale Contre la Faim, Équilibre et Médecins du Monde. Le sujet en était l'imminence, ou non, d'une offensive de printemps de l'armée bosniaque pour desserrer l'étau autour de Sarajevo. Le chef de mission d'AICF, qui portait pantalon de velours et chaussures anglaises, expliqua la théorie de la concentration du maximum de forces à un endroit et à un moment précis du front, selon Clausewitz. Antoine l'écoutait distraitement et avait l'impression, par ailleurs, qu'il pouvait entendre le bruit d'un hélicoptère qui tournait sur la ville, mais cela pouvait n'être qu'une nuance de la rythmique soufflée par les haut-parleurs. Le chef de mission d'AICF termina son exposé et son verre, et il en scruta le fond comme pour y sonder la pertinence de la pensée de Clausewitz. Le chef de mission de Médecins du Monde en profita pour déclarer qu'il se ferait bien également une petite offensive de printemps sur les belles filles de Sarajevo, et la question de savoir qui avait déjà couché avec une Bosniaque fut naturellement soulevée. Le chef de mission d'Équilibre avoua

188

qu'il avait eu une aventure avec son assistante, et que « la qualité des rapports intimes l'avait ému » ; le chef de mission d'AICF laissa entendre qu'il était sur un coup, celui de MDM réitéra son idée d'offensive. Antoine déclara qu'il préférait profiter de l'exceptionnelle disponibilité des expatriées à toute aventure sexuelle, disponibilité qui laissait penser qu'une mission où elles n'avaient pas fait tout ce qu'elles n'osaient pas faire en France n'était pas une mission réussie. Le propos fut salué de sifflements admiratifs. Un volontaire de Handicap International s'approcha de la chaîne stéréo. Il portait un tee-shirt militaire américain sur lequel était inscrit *Marines never die, they just go to hell to regroup*[1]. Il substitua, sur le lecteur, un CD à celui qui passait. La pulsation élémentaire du *Didi* de Khaled emplit l'espace autour d'Antoine, surgie de la nuit déchirée de Gikongoro. Il vit de nouveau la danse de Yasmina. La brûlure du sexe avec elle explosa quelque part dans son ventre, remontant jusqu'à son esprit, douloureusement, comme la conscience brutale d'un deuil. Antoine prétexta de ses devoirs d'hôte pour prendre congé de ses confrères. Il déambula dans les pièces où l'ivresse des expatriés évoquait un vernissage dans un squat d'artistes alternatifs. Il y avait des ouvertures. Il pouvait emmener dans un coin cette Anglaise de l'ONG Save the Children qui lui souriait beaucoup, ou bien cette jeune volontaire brune de Médecins du Monde qui lui avait expliqué tout à l'heure, en se cambrant et en offrant imperceptiblement ses seins, qu'elle s'occupait d'un programme de prise en charge psychothérapeutique des enfants de Sarajevo. Mais tout cela était un

---

1. « Les marines ne meurent jamais, ils vont juste en enfer pour se regrouper. »

mensonge, comme l'avait été l'étreinte lamentable avec
Fanfan, à Paris. Le sexe avec ces filles eût été une manière
de se regarder dans un miroir. Antoine voulait passer de
l'autre côté du miroir. C'était la seule chose qu'il avait
jamais voulu faire de sa vie, et il savait depuis cette nuit
qui s'était achevée sur un trottoir de Pigalle qu'il ne pouvait plus se perdre dans aucun reflet, ni se fuir dans
des orgasmes de circonstance. Le brasier intime partagé
avec Yasmina avait bien refondu en lui quelque chose.
Quelques minutes de vérité incandescente au cœur de
l'effroi le plus obscur nous obligent plus que toutes nos
promesses. Il se dégagea des corps consentants pour gagner
le balcon. Il respira l'air frais de la nuit, son verre d'alcool
à la main. On ne voyait aucune lumière sur la ville, qui se
devinait par des nuances d'ombre dans l'obscurité. Il perçut le bruit de l'hélicoptère avant de distinguer la petite
lumière rouge clignotant sous son ventre. L'appareil semblait tourner sans but. Il arrivait sur la maison. Antoine le
regarda, fasciné, quand il passa au-dessus de sa tête, masse
sombre aux contours imprécis, et le suivit longtemps des
yeux jusqu'à ce que sa pulsation disparaisse du côté de
l'aéroport. Antoine aurait voulu être à la place du pilote
qui dirigeait sa machine dans le noir. Il lui semblait que cet
homme, là-haut, en savait plus que lui à ce moment sur la
vérité du monde.

Il n'avait pratiquement pas bougé depuis quatre
bonnes heures. Il était allongé sur le sol, à plat ventre, et
observait, à travers l'orifice au ras du plancher qu'avait
fait, dans un mur de l'appartement, une balle de 14,5, la
perspective doucement éclairée par la lumière du matin. Il

était vêtu d'une paire de baskets, d'un jean brun et d'une veste camouflée de l'armée yougoslave. L'appartement se trouvait à l'angle du quartier de Grbavica, à la limite de Hrasno, et faisait partie d'un groupe d'immeubles déchiquetés en lisière du no man's land d'une cinquantaine de mètres qui séparait, à cet endroit de la ville, Serbes et Bosniaques. Il avait gagné sa position à la nuit, vers quatre heures du matin, en progressant avec une infinie lenteur et en s'arrêtant, immobile, d'innombrables fois. À aucun moment il n'avait fait de bruit ni offert le déplacement fugace d'une ombre dans l'obscurité qui alertait les équipes de la FORPRONU qui observaient, à l'aide de jumelles équipées d'intensificateurs de lumière, la zone grise qui abritait les snipers. La moindre faute pouvait déclencher le tir de neutralisation. Les équipes anti-sniping de la FORPRONU étaient équipées de fusils de précision qui pouvaient tuer à plus de mille mètres, grâce à leur munition 12,7 de mitrailleuse lourde capable de traverser un mur et d'atteindre le tireur qui se dissimulait derrière.

Le sniper n'était pas seul. Trois étages plus bas, son ombre veillait. Un sniper est concentré sur une zone qui se situe quelque part entre cent cinquante et huit cents mètres au-delà de sa position. Il a besoin de quelqu'un pour surveiller les abords immédiats de sa planque, et le protéger d'un assaut en interdisant l'approche avec une arme automatique. Nikola, armé de sa mitrailleuse russe PKMS, était l'ombre fidèle du sniper. Le sniper aimait bien Nikola, parce que celui-ci avait les nerfs solides et connaissait Sarajevo, où il était né, comme sa poche. Nikola savait les meilleurs chemins de repli pour disparaître après un tir unique. Le sniper n'était pas de la ville. Il venait de Vrcin, près de Belgrade. Il était venu à Sarajevo neuf mois auparavant, avec des amis, pour participer à ce que l'on appelait à Belgrade « un week-end de chasse aux Turcs ». Faire le coup de feu au Kalachnikov ou au fusil à lunette sur les assiégés. Ses amis étaient repartis en Serbie, mais lui non. Quand on lui avait mis entre les mains, la première fois, le fusil de précision qui reposait, aujourd'hui encore, contre son bras, il avait ressenti une émotion violente, érotique. L'arme était un M. 76, la version yougoslave du SVD-Dragunov russe. Sa ligne gracieuse, fine, avec sa crosse anatomique évidée, sa longue lunette de visée et son canon mince comme un serpent doucement enchâssé dans une longuesse de bois, avait quelque chose d'à la fois sexy et mortel. Le sniper était tombé amoureux.

Il avait appris le métier. À deux cents mètres, il visait le nombril pour faire mouche en pleine tête, et à six cents mètres, il visait légèrement au-dessus de la tête pour atteindre la poitrine. S'il y avait du vent, il fallait faire une infime correction supplémentaire, surtout au-delà de trois cents mètres. Il se souvenait du tremblement et de la suée qui avaient secoué tout son corps, après son premier mort. Presque une jouissance. Maintenant c'était plus intime, une sorte de moment parfait. Il avait appris aussi à toucher les véhicules qui roulaient le plus vite possible sur Sniper Alley, en calculant instinctivement à quelle distance en avant du capot il fallait tirer. Mais ce qu'il voulait, c'était loger une balle, précisément, dans le corps du conducteur. Cela impliquait une situation particulière. Sauf coup de chance, il n'était pas possible de faire ça sur une voiture lancée à pleine vitesse.

À travers l'ouverture dans le mur, il pouvait voir, loin sur la gauche, le « PTT building », qui était devenu le quartier général fortifié de la FORPRONU ; plus près se trouvait le bâtiment de la radiotélévision bosniaque, aussi massif qu'un bunker, ce qui lui avait permis d'encaisser nombre d'obus. À sa droite, dans le quartier de Marindvor, trop loin pour y chercher une cible utile, se trouvait le fameux hôtel *Holiday Inn* et, derrière lui, les célèbres tours Unis. L'*Holiday Inn* accueillait l'essentiel des correspondants de guerre qui couvraient le siège. Sa laideur originelle façon Lego jaune orangé avait été presque anoblie par les tirs qu'il avait subis. Sur la façade qui regardait Grbavica, les impacts avaient laissé des trous béants à partir du troisième étage, et les fenêtres n'étaient plus que des carrés aveugles. Seules les chambres aux étages inférieurs, non directement exposés, servaient encore. Derrière l'hôtel, les tours Unis exhibaient leurs stigmates. L'une des deux avait la moitié supérieure de sa trentaine d'étages calcinée et ravagée, et les vitres bleutées réfléchissantes qui couvraient leurs structures avaient été largement décimées, leur donnant l'aspect de grandes sœurs jumelles lépreuses et défigurées. Devant tout cela courait Sniper Alley. Mais surtout, presque en face de sa position, il y avait l'angle de la rue Lozionicka, dans laquelle certains véhicules tournaient afin d'éviter de passer devant Grbavica et de rejoindre la vieille ville en se protégeant derrière les bâtiments d'Energoinvest, puis les immeubles de Marindvor.

Sanela, la nouvelle secrétaire de la base de Sarajevo, avait emprunté la Golf poussive de son cousin, car elle devait, au retour de son travail, aller chercher sa mère qui avait été la veille au soir aider l'une de ses amies à préparer un mort pour un enterrement. L'amie habitait dans le quartier de Ciglane, au nord de la ville, et le trajet à pied jusqu'à leur appartement de Cengic Vila eût été pour la vieille femme une épreuve. La Golf ne roulait pas beaucoup, car l'essence était hors de prix, et Sanela avait le sentiment que la voiture, après une dernière ratatouille du moteur, allait la lâcher brusquement sur Sniper Alley. Elle était au bout de la quatrième, pied au plancher, et avait l'impression de conduire une tondeuse. Avec soulagement elle vit enfin le croisement avec la rue Lozionicka, et commença à rétrograder pour tourner et se réfugier dans les rues à couvert. Elle parvint à négocier le virage sans caler. La première balle de 7,62 chemisée blindée traversa la tôle du coffre arrière, puis la tôle de séparation coffre arrière-habitacle, puis la banquette arrière, puis le siège passager, puis la tôle de tableau de bord, puis la tôle de séparation habitacle-compartiment moteur. Elle perfora ensuite le carter moteur, où elle termina sa trajectoire en éclatant en de multiples débris. La seconde, presque immédiatement après, traversa la vitre arrière, puis le siège conducteur, puis l'omoplate droite de Sanela, qu'elle brisa, puis le haut de son poumon droit, dont elle ressortit avant de traverser le pare-brise de la Golf.

Parfois, Antoine, dans son bureau, repensait à l'équipe de Gikongoro. Il se demandait si Olivier et Julie étaient toujours là-bas, si Léa et Dom continuaient à se retrouver en cachette, si Blaise était retourné dans la vallée des Aldudes et Philippe à Carcassonne. Antoine aurait pu, à l'occasion d'une liaison téléphonique miraculeuse avec le siège à Paris, demander de leurs nouvelles, mais à chaque fois il y avait les questions urgentes à régler, et il n'y pensait jamais. Il se trouvait dans cet état de rêverie nostalgique quand Bob entra dans la pièce pour lui apprendre que Sanela avait été gravement blessée par un sniper alors qu'elle roulait vers le bureau, et qu'elle avait été transportée à l'hôpital Kosevo.

Le quartier de Ciglane, où se trouvait la mère de Sanela, était en face de Kosevo, et celle-ci, avertie par le réseau invisible d'alerte et d'entraide des assiégés, était déjà au chevet de sa fille quand Antoine entra dans la salle de soins. Sanela était endormie. Elle avait perdu beaucoup de sang, mais la balle n'avait pas eu à être extraite. La blessure avait été nettoyée des infimes esquilles d'omoplate et suturée dans la mesure du possible. La déchirure avait provoqué un collapsus pulmonaire, et un drain thoracique avait été inséré pour redilater le poumon droit. Un large bandage souple maintenait le torse mais, même dans l'inconscience, chaque respiration provoquait un gémissement et une petite contraction de la joue et des lèvres. Son visage était très pâle. Elle avait un peu de fièvre. La mère de Sanela s'était tournée vers Antoine quand celui-ci l'avait saluée et s'était présenté. Elle avait simplement hoché la tête, puis était revenue à sa fille sans rien dire. Elle portait un fichu blanc aux jolis motifs floraux couleur acajou, et un pull bordeaux usé. Son visage était sillonné de rides profondes. Ses yeux, réfugiés sous des orbites marquées, soulignés par les sourcils et d'épaisses poches, ne semblaient pas vraiment voir. Quand son regard avait croisé celui d'Antoine, il avait eu la sensation d'être une fraction de seconde dans l'axe d'une lumière noire, dense et négative, qui absorbait le malheur. D'une certaine manière, ce n'était plus que ce malheur qui la constituait, qui l'érigeait de l'intérieur. Antoine prit congé au bout d'une demi-heure. Il passa voir les médecins aux visages épuisés qui lui dirent que Sanela était tirée d'affaire et qu'elle pourrait rentrer chez elle dans quelques jours, quand on lui aurait retiré le drain. Les blouses des toubibs étaient d'une blancheur douteuse. L'un d'eux, âgé d'une cinquantaine d'années et les doigts tachés de nicotine, lui dit en haussant les épaules que de toute façon ils manquaient trop de lits pour garder longtemps les gens.

Antoine s'égara un peu dans les couloirs en regagnant la sortie. Il traversa une salle mitoyenne des urgences, où un aide-soignant nettoyait au jet les civières. Malgré le lavage à grande eau, le tissu rêche restait imprégné du sang que chaque blessé avait laissé. Le sol dallé gris, comme un rocher au reflux de la marée, frémissait sous le courant rouge qui ondoyait pour disparaître par les trous d'évacuation. L'odeur lourde et écœurante ramena Antoine à Gikongoro, au milieu des corps qui ne ressuscitent jamais. Il s'échappa rapidement de l'hôpital, surpris par une montée de sanglots aussi irrépressible que le sentiment d'impuissance qui le submergeait d'un coup.

Très tard, dans la maison silencieuse alors que le reste de l'équipe dormait dans les chambres, Antoine, au salon, finit seul la bouteille de *sljivovica*. Ils avaient parlé toute la soirée de Sanela. Chaque jour des gens se faisaient tuer ou blesser par un sniper, mais là c'était quelqu'un qu'ils connaissaient, qu'ils côtoyaient quotidiennement, et bien sûr cela changeait tout. Ils avaient dit et échangé tous les lieux communs, toutes les questions, et ça ne servait à rien. « Le type qui est capable de faire ça, c'est un salaud » ; la pauvre vérité n'était pas parvenue à les apaiser. Antoine, alcoolisé sans ivresse, explorait les dimensions parallèles d'un mot faussement familier. «Tu es un salaud », c'était ce que lui avait dit Fanfan. Le tireur qui avait voulu tuer Sanela dont il ne connaissait pas même le visage était un salaud. Mais leurs saloperies, à tous les deux, ne semblaient pas compatibles, miscibles. Antoine se versa le fond de *slivo*, ferma les yeux pour mieux sentir la chaleur de l'eau-de-vie. On entendait des tirs irréguliers, assez loin. Patrouille de nuit et accrochage sur la ligne de siège. Il s'était probablement comporté comme un salaud et un vrai con avec Fanfan, mais ça n'en faisait pas un salaud au sens « sartrien » du terme. C'est marrant comme les lectures de jeunesse resurgissent à l'improviste. Il avait trouvé Sartre plutôt ennuyeux, mais le partage qu'il traçait entre les « salauds » et les autres lui revint avec une surprenante netteté, délivré de la logorrhée philosophique, réconfortant. Oui, il s'était peut-être conduit comme un salaud, comme tout le monde d'ailleurs, à un moment ou à un autre, mais il n'était pas un salaud. Il aurait aimé pouvoir l'expliquer à Fanfan, mais il était trop tard pour ça.

Le lendemain matin, Bob trouva Antoine endormi sur le canapé du salon. Deux tasses de café et une aspirine finirent par avoir raison de sa gueule de bois.

Sur Sniper Alley se trouvait une boutique de fleurs. Légèrement en retrait, protégée en partie par des immeubles et des angles morts, il n'était pas trop dangereux de s'y rendre. On y trouvait en permanence des tulipes jaunes et rouges. La propriétaire était une femme entre deux âges qui portait un tablier bleu foncé sur une robe tabac à manches longues. Quand on lui demandait comment elle parvenait à s'approvisionner en fleurs fraîches malgré le siège, elle souriait et ne répondait pas. La boutique était petite, avec un plafond qui tombait brusquement vers le fond, comme si une main géante eût aplati un côté du toit. L'eau des fleurs qui attendaient dans des gros vases de terre cuite était rarement changée en raison de la pénurie, et une odeur de compost flottait dans la pièce. Le sol semblait ne jamais être balayé. Il y avait de la sciure, des pétales et des brindilles qui crissaient sous les pieds. L'un des carreaux de la fenêtre était encore en verre. Antoine acheta un bouquet mixte des deux couleurs qu'il voulait faire porter à Sanela. La propriétaire lui offrit un café amer en lui parlant de la Hollande, où elle avait été voir les grands champs de tulipes, des années auparavant.

Le 27 mai, à huit heures quarante-cinq, des éléments d'infanterie de marine français reprirent, au cours d'un assaut surprise, le pont de Vrbanja aux Serbes. Le téléphone sonna rapidement dans le bureau d'Antoine pour lui apprendre la nouvelle. Confrères humanitaires, Mehdi Khamou qui, au nom de l'ambassade, appelait « tous les Français de Sarajevo » à la cohésion. Il balançait tout ce qu'il savait, avant de conclure : « Bon, secret défense, hein, on s'est compris. »

Le régiment d'où provenait l'unité qui avait mené l'opération était caserné à Vannes. L'esprit de corps revint à Antoine comme une odeur de marée. En marchant dans les couloirs de l'ancienne chambre de commerce, il reprit à haute voix l'ancien refrain, marquant le pas du pied droit sur le sol : « Nous sommes les hommes des troupes d'assaut / Nous n'avons pas seulement des armes / Car le diable marche avec nous. »

Juin arriva, mais la douceur de l'air ni le chant des oiseaux ne poussèrent personne à se promener dans les rues et les parcs. Les bombardements avaient repris avec une intensité assassine. Le moindre trajet était devenu une expédition. Les obus tombaient à toute heure de la journée ; piétons et voitures évitaient de sortir. Consigne fut donnée à l'assistant bosniaque de rester chez lui – Sanela, elle, poursuivait sa convalescence chez sa mère – et aux expatriés de limiter leurs déplacements au strict nécessaire.

L'acharnement des artilleurs avait fermé l'horizon de chacun. Le bruit des obus était le bruit de la ville. Une sorte de bref hululement chiffonné par le vent, avant le choc terrain, l'explosion et la brusque compression de l'air. Quand les intervalles entre les déflagrations se raccourcissaient, Antoine sentait ses os se rétracter pour tenter de faire occuper à son corps le moins d'espace possible. Enfermés dans les bureaux ou la maison, lui et son équipe passaient des heures assis par terre, à bavarder et à fumer. Le sol était parcouru de frémissements.

Ils parvenaient néanmoins à piloter la mission et les programmes de distribution, qui se poursuivaient à partir des différentes bases opérationnelles, avec les radio-vacations qui, vu la situation, s'effectuaient trois fois par jour.

Juin passa, et les bombardements, comme une fièvre qui retombe, faiblirent rapidement, laissant les assiégés englués et incrédules.

L'accalmie se confirma, et Antoine en profita pour organiser une petite fête à l'occasion du retour de Sanela. Un café de Bascarsija, qui disposait d'une terrasse et d'un grand jardin clos, fut retenu, et l'on mit en place une navette avec une pâtisserie toute proche, qui faisait les meilleurs gâteaux traditionnels de la vieille ville. Dragan était venu de Pazaric et avait apporté de quoi faire un barbecue. La sono du café crachait des succès populaires yougoslaves dégoulinant de mots d'amour. Il y avait du soleil, et il faisait chaud.

Sanela, qui avait toujours du mal à se servir de son bras droit et toussait parfois, était souriante. Elle avait reçu comme instruction de manger tous les gâteaux qu'il lui serait possible d'avaler, et l'équipe veillait au bon déroulement du programme. Bob et Dragan, qui avaient en commun le sens de la mécanique, assuraient l'approvisionnement en viande grillée. À la fin, tout le monde s'allongea dans l'herbe et regarda le ciel, où les derniers filaments du barbecue éteint se perdaient dans le bleu.

Srebrenica était tombée. La nouvelle de la chute de l'enclave musulmane, déclarée « zone de sécurité » par l'ONU, s'imposa le 12 juillet. Sinisa parvint à joindre Antoine à la maison de Bascarsija, vers cinq heures du matin. L'un de ses contacts dans l'Armija venait de lui confirmer l'information.

Le reste de l'équipe dormait encore. Antoine prit un café, seul, dans le salon caressé par l'aurore. Le chant des muezzins s'achevait. L'odeur du café était une promesse de vie. Antoine pouvait sentir, sur sa nuque, la tiédeur des premiers rayons du soleil. Un chat était entré par l'une des fenêtres entrouvertes. Il avait bondi sur la table du salon et s'était posé, regardant Antoine. Antoine songea, un instant, au hurlement silencieux des papes sur les toiles de Francis Bacon.

Arrivé au bureau, Antoine procéda à la radio-vacation du matin. Voix glacées et questions sans réponse. Admir, le coordinateur bosniaque de la base de Tuzla, au nord, annonça à travers la friture que les rescapés de Srebrenica commençaient à arriver. La liaison était mauvaise, et Antoine devait faire répéter chaque phrase : « *Bad copy, could you repeat*[1] *?* » ; que des femmes, des vieillards, des enfants ; pas d'hommes ; « *No men, no men.* » Sinisa intervint de Zenica. Il était prêt à monter à Tuzla pour aider Admir. Antoine répondit qu'il allait lui-même monter à Tuzla, en prenant Sinisa au passage à Zenica. Les voix à la radio s'enfonçaient derrière le mur de parasites, à mesure que les ondes de chaleur s'élevaient dans l'atmosphère. *Over and out* pour tout le monde.

Antoine fit le point avec l'équipe. Bob s'occuperait des affaires courantes de la base de Sarajevo pendant son absence et garderait le pick-up. Dragan, qui devait superviser le déchargement et l'entreposage de milliers de colis alimentaires prévus d'être distribués sur une bonne partie de la vallée de la Neretva, ne pouvait venir chercher Antoine. Celui-ci passa voir son collègue d'Équilibre, et l'affaire fut réglée en cinq minutes autour d'un épais café bosniaque. On rajouta le nom d'Antoine à la liste des

---

1. « Mauvaise transmission ; pouvez-vous répéter ? »

volontaires Équilibre du convoi qui devait sortir de la ville le lendemain matin, sous escorte FORPRONU, pour rejoindre Zenica. Le rendez-vous était fixé à sept heures du matin, à côté du PTT building. Ni le chef de mission d'Équilibre ni Antoine ne s'attardèrent sur la chute de Srebrenica. Ils savaient tous les deux qu'ils savaient, et il ne leur restait plus, à chacun, qu'à essayer d'être utile à quelque chose.

En prenant congé, Antoine, qui s'était souvenu de la conversation dans le salon lors de la fête, regarda plus attentivement l'assistante bosniaque, qui se nommait Djana. Elle était brune, avec un visage ovale d'Italienne de la Renaissance et cette extrême féminité des femmes de Sarajevo qui résistaient à la barbarie avec leur trousse à maquillage. « La qualité des rapports intimes m'a ému. » Ce matin, Djana avait dû se faire encore plus belle, et les hommes auraient envie de l'aimer.

Le lendemain matin à sept heures, Antoine laissait le soleil oblique pénétrer ses paupières closes, devant le PTT building. Il attendait que le *convoy leader* ressorte. Les camions et les chauffeurs étaient prêts. Antoine avait passé le contrôle de sécurité. Les marsouins qui étaient affectés ici mettaient un point d'honneur à maintenir vivace le mythe de la coloniale. Au rez-de-chaussée du quartier général, ils avaient installé une grande ancre de marine.

Les chauffeurs grillaient des cigarettes en discutant, appuyés sur leurs bahuts. Le *convoy leader* sortit enfin du bâtiment, avec papiers officiels tamponnés ONU et carte d'itinéraire sous le bras. Il était jeune, avec la même tranquille assurance que les marsouins. Il indiqua aux chauffeurs le trajet de sortie de Sarajevo, qui empruntait les routes Sierra à travers les quartiers serbes. Antoine se présenta. Le *convoy leader* vérifia son nom sur la liste, et lui désigna du doigt un camion et un chauffeur : « Tu montes avec lui. »

Ce fut en grimpant dans la cabine, alors que l'escorte blindée FORPRONU prenait position à l'avant et à l'arrière du convoi, qu'Antoine reconnut le chauffeur. Seb ; le grand Sébastien de l'équipe Équilibre à Gikongoro. C'étaient les lunettes, qu'il ne portait pas auparavant, qui l'avaient empêché de le remettre immédiatement. Et la coupe de cheveux, plus courte. Aussi surpris et contents l'un que l'autre de se retrouver par hasard, ils firent assaut de grosses tapes affectueuses. Seb était un grand type costaud, ancien pompier, la trentaine, avec un visage franc, si lisible que parfois on en était gêné pour lui. Antoine ne l'avait jamais vu de mauvaise humeur. À Gikongoro, c'était un compagnon de Primus de Philippe et de Blaise, dont il demanda des nouvelles. La machine à souvenirs s'enclencha et, alors que le convoi avait quitté l'aéroport pour s'enfoncer dans le quartier d'Ilidza, où les policiers serbes, dans leur curieuse tenue camouflée bleue, les regardaient passer dans un silence hostile, ils évoquaient, eux, les camps, les pistes et les fêtes du samedi soir à Gikongoro.

Antoine, qui avait fait le tour des figures marquantes qu'ils avaient connues, demanda, comme ça, si Seb avait des nouvelles de Yasmina.

« Tu sais, Yasmina, une infirmière de MSF ?

— Ah, tu parles ! Non, pas de nouvelles ; me demande ce qu'elle est devenue ; un sacré bon coup. La meilleure baise de Gikongoro, à mon avis.

— Tu l'as... ?

— Ouh, je veux ! Dans la cabine de mon bahut, extra.

Mais attention, pour le boulot qu'elle faisait dans les camps, chapeau ! Une grande dame, je dois dire.

— Oui, t'as raison. Une grande dame. »

Antoine s'était tourné pour observer Ilidza, où les gens, les rues, les bâtiments semblaient plus tristes que dans la partie bosniaque, comme si ceux qui vivaient ici avaient compris qu'ils payeraient cher, un jour, d'avoir été complices de trois années de cruauté. La voirie avait été laissée au hasard, et des relents de marécages parvenaient aux narines d'Antoine. Il se souvint comment, alors qu'il était encore au collège, il avait été mortifié d'apprendre, un jour, que la fille qu'il était fier d'avoir pu embrasser roulait des patins, depuis des mois, au plus dégourdi des garçons de la classe, celui qui jouait le mieux au foot. Il sourit pour lui-même et une vieille Serbe vêtue de noir, qui regardait passer ce convoi qui n'était pas pour elle, faillit lui rendre le sourire, qu'elle avait pris pour une promesse. C'était mieux comme ça. Être débarrassé enfin de cette empreinte brûlante, alors qu'il devait monter vers le Nord pour donner ce qu'on peut donner à des revenants.

L'escorte FORPRONU les abandonna au début de Finch. Antoine, avec le point de vue élevé de la cabine, avait le sentiment de découvrir une nouvelle route, agréable et paisible. Ils suivaient la Land Rover du *convoy leader*. Le passage des check-points bosniaques les arrêta un moment à Visoko, puis ce fut campagne et villages jusqu'à Zenica.

Sinisa était venu attendre Antoine à la grande base Équilibre de Zenica. Il broya la main d'Antoine et, après que ce dernier eut salué Sébastien, ils montèrent dans le pick-up. Les axes principaux jusqu'à Tuzla étaient coupés par les lignes de front, et il allait falloir prendre de mauvaises routes, défoncées par les obus de mortier. Sinisa, dans cette belle journée d'été chaude et lumineuse, avait le visage sombre. Il était, probablement, l'homme le moins naïf de Bosnie. Pourtant, comme le commandement de l'Armija qui avait ordonné aux défenseurs de Srebrenica d'évacuer leurs positions pour provoquer l'intervention des avions de l'OTAN, il avait cru que la phrase prononcée par le général français Philippe Morillon, le 12 mars 1993, au milieu des habitants de l'enclave : « Vous êtes désormais sous la protection des Nations unies... je ne vous abandonnerai jamais », pouvait être prise au sérieux.

« *Cheffe*, tu savais que les habitants, là-bas, avaient baptisé la rue principale de la ville "rue Filip Morijon"? *Fucking joke, no?* »

Antoine secoua la tête. Il n'avait pas grand-chose à répondre à Sinisa, mais il pouvait l'écouter. Ils croisèrent un bus qui s'obstinait à assurer une liaison entre le Nord et la Bosnie centrale. L'engin, surchargé d'hommes et de femmes aux visages de paysans durs à la peine, brinquebalait entre les trous d'obus et les enveloppa d'un nuage de gaz d'échappement noir, âcre et presque visqueux. Gas-oil de contrebande.

« *Cheffe*, quand j'ai parlé l'autre nuit avec mon contact à l'état-major de l'Armija, il m'a expliqué comment les Serbes tenaient les promesses de l'ONU. La nuit du 10 au 11, à minuit, le colonel hollandais qui commandait le bataillon FORPRONU à Srebrenica a rencontré les officiers de l'Armija qui défendaient l'enclave. Et tu sais ce que le Hollandais a dit? Il a dit à nos officiers qu'il venait de parler avec l'état-major de la FORPRONU qui lui avait annoncé qu'ils avaient dit aux Serbes que si, à six heures du matin, ils ne s'étaient pas retirés, les avions de l'OTAN allaient transformer le secteur où pénétraient les forces serbes en *dead zone*. Alors, à six heures, *cheffe*, tous les habitants de Srebrenica étaient dans les rues et aux fenêtres, attendant les avions qui allaient écraser les Tchekniks. Il paraît qu'on n'entendait pas un bruit. Chacun retenait sa respiration, le nez en l'air, tu imagines ? Mais à sept heures, il n'y avait toujours eu aucun avion, et une heure plus tard, *cheffe*, les Serbes étaient dans la ville, et ce sont eux qui ont transformé le secteur en *dead zone*. *Cheffe*, il vaut mieux avoir les Tchekniks comme ennemis que l'ONU comme ami, non ? »

Entre Vares et Banovici, ils traversèrent de nombreux villages en partie détruits. Maisons éventrées, brûlées, pillées pendant les combats entre Bosniaques et Croates pour le contrôle de la Bosnie centrale. Un peu avant Banovici, un check-point de l'Armija coupait la route. La barrière était une charrette à cheval posée en travers. Les soldats s'approchèrent, chargeur engagé. Ils étaient sept, vêtus d'uniformes dépareillés. Trois d'entre eux avaient la cinquantaine. C'étaient des territoriaux, qui défendaient leurs maisons et leurs champs contre le HVO. La plupart, le soir, devaient regagner leurs foyers. Ils s'étaient battus contre les Croates avec le courage buté des gueux. Le chef, qui devait avoir vingt-cinq ans, jeta un regard scrutateur sur l'intérieur du pick-up, qui portait le sticker d'Intervention Directe. Sinisa, pendant ce temps, avait sorti d'une de ses poches, lentement pour ne pas effrayer les soldats, une carte frappée de la fleur de lys[1] et de l'inscription *Armija*. La carte était complétée d'une photo d'identité de

---

1. La fleur de lys est le symbole de la Bosnie-Herzégovine et de son armée.

Sinisa en treillis avec des épaulettes de colonel, d'un numéro d'immatriculation et de références écrites en serbo-croate. Il la tendit au jeune chef d'escouade, en lâchant une phrase courte, sur un ton bas, métallique, coupant, avec un claquement de doigts, de l'autre main, qui désignait la charrette en travers de la route. Antoine repensa à cette nuit africaine où le bruit métallique d'une culasse de Kalachnikov, à un autre check-point, lui avait fait croire que son heure était venue. Le chef ordonna sans traîner aux soldats de pousser la charrette, et il fit un signe de tête empreint de respect à Sinisa alors qu'ils repartaient. Il faisait vraiment chaud, maintenant, et ils parlaient peu. La radio HF du bord crachotait. La sueur perlait au front et sur le cou de Sinisa, qui laissait un coude sur la portière. Antoine regardait la route sans la voir, les yeux mi-clos.

Tuzla était une ancienne ville d'industrie lourde, dont l'approche était jalonnée de centrales et d'usines aux cheminées étonnamment tranquilles. Les Bosniaques disaient que la guerre avait eu, en diminuant massivement l'activité industrielle, au moins l'avantage de rendre l'air et l'eau un peu plus purs, à Tuzla.

Admir les attendait au bas de l'immeuble laid, au centre-ville, où ID logeait sa base opérationnelle. Il était de taille moyenne, avec un physique à la fois vif et rondouillard, et portait presque en permanence des lunettes Ray Ban. Lui aussi avait quitté l'Armija, après avoir passé un accord avec ses supérieurs. Admir avait servi tout le début de la guerre comme plongeur de combat dans les forces spéciales bosniaques. Sa spécialité était de faire sauter les ponts, et il en avait détruit un certain nombre pour retarder l'avancée des Croates ou des Serbes. Mais il avait vu également beaucoup de cadavres civils, au fond des rivières et au fil de l'eau. L'Armija l'avait laissé rejoindre Intervention Directe mais le gardait en réserve, si on avait besoin de ses compétences pour détruire un ouvrage. Il devait posséder, lui aussi, une carte d'identité militaire qui ouvrait les check-points. Dragan avait raconté à Antoine que Sinisa et Admir s'étaient rendu compte, en discutant pour la première fois ensemble, qu'ils avaient été l'un en face de l'autre, à l'occasion d'une bataille en Bosnie centrale, quand Sinisa était colonel au HVO.

« Sinisa a éclaté de rire, et a dit comme ça : "Puisque nous avons raté l'occasion de nous tuer, il ne nous reste plus qu'à boire ensemble." »

Ça avait dû fonctionner, et ils avaient l'air, tous les deux, d'anciens détenus qui auraient fait leur temps dans la même cellule. Admir, aujourd'hui, était volubile, ce qui trahissait chez lui une forme d'angoisse. Il expliqua qu'avec son équipe, il avait déjà procédé à une distribution d'urgence de colis alimentaires et de produits de première nécessité dans l'un des centres d'accueil improvisés où étaient hébergés des réfugiés de l'enclave. Mais il y en avait d'autres, sans parler de l'aéroport, qui était devenu un camp de déplacés. Il voulut les emmener immédiatement pour « voir et décider ensemble ».

Le gymnase municipal de Tuzla. Devant le grand bâtiment fonctionnel, dans l'air sec et poussiéreux, des autobus étaient arrêtés ou manœuvraient pour repartir. Des policiers bosniaques sans consigne essayaient de mettre un semblant d'ordre parmi les réfugiés qui attendaient pour entrer. Les cars qui les avaient amenés avaient été chauffés à blanc par le soleil, et ils avaient été arrêtés de nombreuses fois par les forces serbes pour un contrôle, parfois un dernier tri, avant d'être laissés dans le no man's land où des véhicules bosniaques étaient venus les charger. Les passagers n'avaient pas reçu d'eau. La chaleur, l'attente et la déshydratation les avaient abrutis. Ils étaient devant la porte du gymnase comme des hannetons cherchant l'air en se tapant sur une vitre, au plus chaud d'un après-midi d'été.

Des soldats de l'Armija agités et inutiles circulaient en s'interpellant entre eux, le Kalachnikov levé vers le ciel. Des reporters filmaient, tendaient des micros aux rescapés ; la BBC était venue en Land Rover blindée. Un journaliste parlait en anglais dans un handset, avec un bégaiement comique. Les 4 × 4 du HCR[1] et de quelques ONG se tenaient garés ensemble. Un adolescent restait accroupi à l'écart près de son sac à dos. Admir s'accroupit à son tour et l'interrogea à voix basse. Le garçon parlait d'une voix hachée qui s'interrompait brusquement, et semblait ne pas parvenir à reprendre son souffle. Son regard exprimait une sorte d'ahurissement. Il avait fait le chemin à pied depuis l'enclave, plusieurs jours avant la chute, avec une colonne de civils qui avaient fui à travers bois et champs. Les deux tiers de la colonne étaient morts, tués par les embuscades serbes ou les mines. Le sac de toile grossière de couleur blanc sale donnait au garçon l'air d'un jeune matelot échoué. Son pantalon, ses tennis et sa chemise étaient couverts de croûtes de boue séchées.

Antoine, Sinisa et Admir sortirent leurs cartes d'accréditation des Nations unies pour pénétrer dans le gymnase.

---

1. Haut Commissariat aux réfugiés des Nations unies.

Huit cents personnes environ étaient entassées là, la plupart allongées ou assises sur des matelas type HCR en mousse plastifiée. Des femmes, vieilles ou plus jeunes, beaucoup de femmes, qui presque toutes portaient les fichus et les longues robes des villageoises, avec aux pieds des chaussures à semelles plates ou des godasses à tout faire sans lacets. Des enfants, de très jeunes garçons, et aucun homme en dessous de la cinquantaine. On avait distribué des boissons dans des gobelets en plastique, des biscuits, des couvertures. De petits groupes de réfugiés s'étaient formés et parlaient entre eux. D'autres restaient seuls, yeux ouverts, regard fixe ou au contraire incapable de se fixer sur quoi que ce soit, lèvres parfois animées de phrases muettes. Certains dormaient. Quelques femmes donnaient le sein à des nouveau-nés qui crevaient de chaud. Un bruit permanent de hall de gare et une senteur lourde et tiède de wagon à bestiaux enveloppaient la foule. À proximité des toilettes du gymnase, une odeur d'urine et d'excrétas prenait à la gorge.

Antoine et ses deux compagnons engagèrent la conversation avec un représentant du HCR, un responsable d'une organisation humanitaire danoise et deux volontaires de MSF qui avaient l'air d'avoir pris les choses en main. Effectivement, les besoins de base et les soins élémentaires étaient, globalement et pour le moment, assurés ici. Admir, qui connaissait bien les interlocuteurs, tous basés à Tuzla, évoqua avec eux le cas d'un centre plus petit, une école, où il avait commencé à distribuer une aide d'urgence avec son équipe. MSF promit de passer voir l'état des réfugiés, et le représentant du HCR allait essayer de fournir matelas et couvertures.

Une femme d'une cinquantaine d'années s'approcha

d'Antoine. Elle l'avait vu parler avec le type du HCR, et Antoine portait autour du cou sa carte d'accréditation des Nations unies, alors elle avait pensé qu'il faisait partie des Nations unies lui aussi. Elle se mit devant lui et lui tendit, en le regardant en face sans rien dire, des papiers d'identité fripés et tachés de sueur. Sinisa lui posa, avec une étonnante douceur, une longue question puis, toujours de cette même voix qui semblait venir d'une partie de lui-même qu'il avait oubliée, il traduisit pour Antoine la réponse. La femme, qui s'appelait Anija, était l'une des rares à ne pas porter de fichu. Ses cheveux d'un noir de jais, par un curieux miracle, étaient toujours bien peignés. Elle était, à Srebrenica, *school teacher*, ce qui était un peu différent d'institutrice. En Bosnie, on était *school teacher* si on pouvait réunir dans une salle de classe, une pièce d'appartement ou une cave, un certain nombre d'élèves, de cinq à quinze ans, et leur apprendre quelque chose, ou tout simplement leur parler, pendant quelques heures, d'autre chose que de la guerre. Elle avait perdu son mari et ses deux fils, dont il ne lui restait plus que ces papiers. Ils avaient tous été rassemblés sur le site de la base ONU de Potocari. Le général serbe Ratko Mladic était venu en personne se faire filmer en train de leur distribuer du chocolat à travers les barbelés. Puis, ensuite, ils avaient commencé à trier les hommes en âge de combattre du reste, et le mari et les fils d'Anija avaient compris, et lui avaient donné leurs papiers d'identité « pour que le monde sache ce qui s'était passé ici ». Antoine se souvint de Simon, sur la route entre Butare et Gikongoro, qui avait espéré, lui aussi, qu'une trace de lui-même puisse s'inscrire quelque part. Il demanda à Sinisa d'expliquer à Anija qu'il n'était pas délégué de l'ONU et qu'il ne pouvait prendre les papiers de ses proches. Le représentant du HCR, qui avait suivi la scène à l'écart, s'approcha et se proposa pour recueillir son témoignage et la mettre en contact avec le CICR[1]. Anija sembla hésiter un instant, dure, silencieuse, puis acquiesça de la tête. Sinisa, Admir et Antoine prirent congé. Sinisa marchait plus vite que d'habitude, et son visage était blême. Ils prirent la voiture pour aller voir le petit centre dont avait parlé Admir.

Pendant le trajet, ils baissèrent les vitres pour laisser l'air sale rafraîchir l'intérieur du pick-up plombé par le soleil. Admir mit l'autoradio. Une station locale passait l'inusable *Satisfaction*. Ils dépassèrent un groupe d'enfants qui couraient en jouant avec un jeune chien qui semblait habité d'une incroyable joie de vivre. L'animal portait sur le dos une large cicatrice transversale où plus un poil ne poussait, comme si, encore chiot, un accident l'eût déchiré, et qu'on soit parvenu pourtant à le recoudre. Antoine se demanda si la terrible blessure était le secret de son exubérance.

Quand ils arrivèrent, deux autobus venaient de s'arrêter devant l'école qui servait de lieu d'accueil. Les portes des bus s'ouvrirent, et les réfugiés épuisés commencèrent à descendre. Devant les autocars, une femme attendait. Elle tenait dans ses bras une petite pancarte, avec écrit dessus en serbo-croate : *Je cherche mon mari Zlatko Agacevic.* Elle avait environ la trentaine, et ses vêtements avaient

---

1. Comité International de la Croix-Rouge, qui s'occupe, entre autres, de la recherche des disparus.

été coquets. Elle regardait chacun de ceux qui se dirigeaient vers l'entrée de l'école, cherchant à croiser un regard, posant sa question muette. Alors qu'il ne restait plus que quelques vieillards que des volontaires aidaient à descendre, une femme âgée en fichu noir s'arrêta en déchiffrant la pancarte, hésita, la tête basse, puis quitta le bras qui la soutenait pour se diriger vers la jeune femme. Elle posa sa main sur l'épaule de celle-ci, en un geste qui était à la fois appui pour elle et réconfort pour l'autre, et lui parla à voix basse. Puis, en un mouvement étonnamment vif, elle s'éloigna brusquement pour se diriger vers le bâtiment. La jeune femme ne bougea pas pendant une longue minute. Elle semblait regarder quelque chose au-delà de la ligne d'horizon. À la fin, elle ramena contre elle, doucement, sa pancarte, et entra à son tour dans l'école.

Dans l'une des salles de classe, les réfugiés étaient assis, à terre ou sur des bancs d'écoliers. Les gens étaient plus silencieux que dans le grand gymnase. Seuls les enfants criaient. On pouvait voir, à leurs pieds, les colis marqués du logo d'ID, qui contenaient les produits alimentaires et de première nécessité qu'Admir et son équipe avaient déjà distribués. Il y avait également des cartons de jus d'orange et de lait vitaminé vides. Prostrés, les mains sur les genoux, les rescapés ressemblaient, dans cette classe, à des condamnés. Antoine demanda à Admir, qui ne portait plus ses Ray Ban, de le présenter aux gens afin qu'ils puissent lui transmettre leurs demandes, auxquelles il s'efforcerait de répondre. Un homme, âgé d'une soixantaine d'années, en apprenant qu'Antoine était français, déclara qu'il avait travaillé en France, comme ouvrier à l'usine Renault de Flins, et qu'il disait « merci beaucoup, *gospodin*[1] », pour ce

---

1. « Monsieur ».

qui avait été distribué. Antoine vint s'asseoir à ses côtés, et une conversation s'engagea, dans un mélange de français et de serbo-croate, avec Admir et Sinisa qui aidaient à coller les morceaux. L'ancien ouvrier, sous la pression des autres, s'improvisa porte-parole et commença à se plaindre de l'inconfort, de la chaleur, de la promiscuité, du manque d'hygiène et de soins. Antoine, sur une inspiration, voulut, en évoquant les conditions dans lesquelles il avait vu des gens vivre dans les camps au Rwanda, essayer de dire que, malgré l'horreur de ce qui s'était passé, ils avaient quand même, comparés aux Rwandais, de la chance d'être là, dans cette salle de classe. L'ancien ouvrier aux cheveux gris, qui avait un beau visage de patricien romain où trois jours de barbe n'arrivaient à entamer l'expression de dignité, le regarda comme si Antoine avait dit une grossièreté, puis répondit : « Excusez-moi, *gospodin*, mais on n'est pas des nègres. »

Dans le bureau d'Admir où un ventilateur effectuait un arc dans un sens puis dans l'autre avec un petit claquement métallique à chaque fin de parcours, ils organisèrent rapidement l'action des semaines à venir. Sinisa allait faire monter à Tuzla une partie des denrées stockées à Zenica. Antoine se chargeait de demander les camions à Équilibre. Admir et Sinisa choisiraient le meilleur itinéraire et s'arrangeraient avec les check-points de l'Armija. Il était tard. Ils descendirent avaler des pizzas tièdes dans un petit restaurant qui avait dû connaître des jours meilleurs, au temps des usines qui crachaient la fumée. L'endroit sentait la pâte brûlée et le linge sale. Antoine et Sinisa saluèrent Admir et montèrent se coucher dans les chambres de passage attenantes au bureau. Les fenêtres étaient grandes ouvertes, mais l'air de ce mois de juillet à Tuzla était lourd, suffocant, avec la vibration silencieuse de la ville sous couvre-feu, des voix et des cris dans la nuit et, très loin, de sèches rafales isolées. Antoine ne parvenait pas à s'endormir. Il se releva et vint s'accouder à la fenêtre, devinant les architectures dans les ténèbres, et fumant des cigarettes dont il jetait ensuite le mégot qui rougeoyait quelques instants dans le noir avant de disparaître. Ils prirent la route de Zenica le lendemain matin. Sinisa ne parla pratiquement pas de tout le trajet.

À Sarajevo, Antoine s'employa à joindre le siège à Paris pour rendre compte. Long entretien avec Michel. Demande urgente de moyens supplémentaires. Sentiment d'éloignement. Phrases avortées et silences. On pouvait entendre, à l'autre bout du fil, le souffle de Michel. Sa respiration envahissait le combiné, au rythme de sa réflexion, des sentiments confus qui l'agitaient. Antoine écoutait ce vent qui poussait leurs pensées comme des buissons déracinés dans le désert.

Le jeune type du service communication prit ensuite la ligne. Il devait rédiger très vite un communiqué de presse. Il fallait faire savoir que, face à cette tragédie, Intervention Directe avait su réagir, était présente aux côtés des rescapés. Antoine savait qu'il avait ouvert un cahier sur son bureau, là-bas, et qu'il prenait des notes, en soulignant d'un trait large ce qui retenait son attention. Il posait des questions précises, revenant sur des détails, isolant les éléments concrets du mélangé du récit. Il voulait entendre des anecdotes, voir des images, et comprendre ce qu'avaient ressenti Antoine et l'équipe sur place.

Une fois le téléphone reposé, Antoine regarda la ville sous le soleil, à travers les fenêtres ouvertes du bureau. La femme de ménage bosniaque qui passait deux fois par semaine entra dans la pièce, et le vit regarder les toits et les collines. Elle s'approcha de lui et, désignant du doigt la ligne de crête qui encerclait Sarajevo, là où les Serbes dissimulaient les pièces d'artillerie et les chars qui déchiquetaient méthodiquement les gens et les lieux, elle répéta avec une moue de mépris : « *Kretin, kretin*[1]. »

Le fax du communiqué de presse parvint d'abord à l'AFP et aux bureaux parisiens d'Associated Press et de Reuter. Il fut ramassé, lu et transmis au desk étranger/ Europe centrale à l'AFP et chez Associated Press. À Reuter, on le déposa sur un bureau où personne ne prit la peine de le lire, avant de le classer puis, bien plus tard, de le jeter.

Paris, le 24 juillet 1995

COMMUNIQUÉ DE PRESSE
INTERVENTION DIRECTE : NE PAS ABANDONNER
LES RESCAPÉS DE SREBRENICA

La chute, le 11 juillet dernier, de l'enclave de Srebrenica est une tragédie. Pour les rescapés du nettoyage ethnique et les volontaires d'Intervention Directe qui viennent à eux, c'est une catastrophe humanitaire.

1. « Crétins ».

Abandonnés par la communauté internationale, qui avait pourtant garanti leur sécurité, les habitants de Srebrenica ont vu leurs maisons, leur ville envahies par les milices serbes.

Regroupés derrière des barbelés, sans eau ni nourriture, ils ont été l'objet d'un effroyable tri : les hommes en âge de porter les armes ont été emmenés, pour ne plus revenir. Les autres, les vieillards, les femmes, les enfants, ont été brutalement arrachés aux leurs pour être entassés dans des bus, sous un soleil de plomb. Terrorisés, ils ont pu voir, sur leur chemin, des cadavres abandonnés dans des fossés, des hommes agenouillés dans des clairières, les mains sur la tête. Les autobus eux-mêmes ont été arrêtés de nombreuses fois, pour un ultime tri. Certaines femmes, parmi les plus jeunes, étaient emmenées pour être violées...

Pour ceux qui ont préféré fuir l'avancée des Serbes, leur sort a été aussi atroce : traqués, harcelés, beaucoup ont été abattus en chemin. Quelques-uns ont échappé miraculeusement aux exécutions sommaires en étant recouverts par des cadavres.

On ne peut imaginer l'état de détresse dans lequel les rescapés sont arrivés à Tuzla, la grande ville du nord de la Bosnie, là où l'équipe d'Intervention Directe les a pris en charge. Ils ont tout perdu, sauf la vie. Tous espèrent encore des nouvelles d'un mari, d'un frère ou d'un fils.

Sur place, notre équipe, totalement mobilisée, fait tout ce qu'elle peut pour réconforter les survivants et leur apporter l'aide humanitaire dont ils ont désespérément besoin. Nous avons déjà distribué, dans l'un des centres où les réfugiés de Srebrenica ont trouvé un accueil précaire, des colis alimentaires, du jus d'orange, du lait vitaminé, des produits d'hygiène et de première nécessité.

Mais nos réserves s'épuisent rapidement alors que les rescapés continuent à arriver. La situation devient critique. Certaines femmes, traumatisées, ne peuvent plus allaiter leur enfant, et nos volontaires ont besoin de toute urgence de lait maternisé.

N'abandonnons pas une seconde fois les habitants de Srebrenica qui ont survécu au nettoyage ethnique. L'équipe d'Intervention Directe à Tuzla compte sur vous pour les secourir.

Envoyez vos dons à : Intervention Directe, Urgence Bosnie, CCP 655 K Paris.

Comment continuer à diriger une mission humanitaire après Srebrenica ? Pour quoi faire ? La question habita Antoine pendant plusieurs jours. Dès son arrivée à Tuzla, il avait enclenché le pilote automatique de l'action la plus efficace, mais l'ombre d'un immense découragement suivait chacun de ses gestes, bien qu'il fût, comme le reste de l'équipe, totalement mobilisé. Puis les retours du terrain lui apportèrent une forme imparfaite mais incontestable de réponse, celle qu'il connaissait déjà : parce que ça servait à quelque chose et qu'Intervention Directe était là pour ça, parce qu'on ne pouvait pas ne pas tout faire pour les rescapés et tous ceux en Bosnie qui n'avaient pas de quoi tenir le coup, parce qu'ils en avaient besoin. « Les états d'âme sont un luxe de bien nourri » ; Antoine écrivit la sentence de Michel sur une feuille de papier qu'il scotcha au mur de son bureau. Sanela, qui se remplumait à vue d'œil, se décida, intriguée, à lui demander ce que ça voulait dire. Antoine voulut lui traduire la phrase, mais il ne parvint pas à exprimer en anglais la notion d'« état d'âme ». Gêné, il finit par enlever la feuille du mur et la jeter à la poubelle. À Tuzla, les réfugiés de Srebrenica étaient déjà quasiment tous inscrits sur les listes de bénéficiaires des différentes ONG, les centres d'accueil s'organisaient et les programmes humanitaires s'étaient rapidement adaptés. Une nouvelle rubrique « Centres d'accueil/réfugiés Srebrenica » était maintenant intégrée aux rapports opérationnels qui lui étaient envoyés de la zone.

La piste du mont Igman n'était plus empruntée que par de rares véhicules qui, parfois, se perdaient aux carrefours des chemins sans le fil d'Ariane d'un convoi qu'il suffisait de suivre. En huit mois, le paysage figé par trois années et demie de guerre avait été bouleversé. Après la chute de Srebrenica, des gens, quelque part, avaient décidé que cela suffisait. Le 4 août 1995, la grande offensive croato-musulmane, préparée avec les conseillers américains, avait repris aux forces serbes d'importants territoires en Croatie et en Bosnie. Un obus était de nouveau tombé le 28 août sur le marché Markale, faisant trente-cinq morts. Le lendemain, des frappes aériennes massives étaient menées par les avions de l'OTAN sur le dispositif serbe, et la Force de réaction rapide pilonnait les positions encerclant la capitale bosniaque. Le 21 novembre 1995, sur la base aérienne américaine de Dayton, un accord de cessez-le-feu partageant la Bosnie était imposé aux belligérants. Le 24 février 1996, l'encerclement de Sarajevo prenait fin. Le 18 mars, Antoine, Sinisa, Dragan, Bob et les deux autres expatriés français de l'équipe dînaient au *Jez*[1], l'une des meilleures

---

1. « Hérisson ».

tables de la ville, afin de fêter la réunification de celle-ci, qui allait être proclamée le lendemain.

Le *Jez* était un restaurant en sous-sol, aux murs épais, et, parmi les expatriés, on l'appelait plus communément « la cave ». Il était judicieusement aménagé, avec banquettes et coussins, tables longues ou petites, chaises en bois ouvragé. Les murs étaient décorés de fausses antiquités ottomanes et d'armes de collection. L'éclairage était à la fois chaud et tamisé. Le propriétaire était un ancien héros de la défense de Sarajevo, spécialiste du lance-roquettes antichar, et l'entrée de l'établissement était tapissée de coupures de presse relatant ses exploits et de photos noir et blanc encadrées le montrant en action sur la ligne de front avec son engin. Sinisa avait regardé les clichés, hilare, et déclaré que « ce type était le seul homme intelligent de Bosnie, car il avait trouvé le moyen de se faire de la publicité avec un lance-roquettes ». Depuis Srebrenica, Sinisa avait développé une ironie féroce qu'il entretenait à chaque occasion. Tout le monde y passait : le barnum humanitaire, l'ONU, l'OTAN, le HVO, l'Armija et surtout le gouvernement bosniaque de Sarajevo, qui avait délibérément ordonné aux défenseurs de l'enclave d'évacuer leurs positions. Pour lui, les accords de Dayton, la paix fragile à laquelle personne n'osait encore croire, l'IFOR[1] qui avait pris le relais de la FORPRONU, tout était *fucking joke*. Il n'y avait plus, pour Sinisa, semblait-il, que des loyautés personnelles. Il était loyal envers Antoine, envers les autres Bosniaques de l'équipe, envers les bénéficiaires qui n'avaient rien et envers tous ceux qui respectaient ses intérêts sur Zenica. Le reste était *fucking joke*. Il portait,

1. International Force.

ce soir-là, un costume d'homme d'affaires qui lui donnait l'allure d'un promoteur de boxe véreux.

Le coordinateur de programme, le logisticien et Bob engagèrent Dragan et Sinisa sur le point de savoir s'ils étaient prêts à se reconvertir dans l'après-guerre qui se dessinait. Dragan répondit qu'il allait monter à la fois un garage et un élevage de dobermans, car les Yougos allaient de nouveau s'acheter des belles voitures et les protéger avec des chiens méchants. Sinisa déclara qu'il se lancerait dans le trafic de drogue, et peut-être aussi allait-il faire venir des « Natacha », des putes russes, comme à Tuzla, où elles faisaient un tabac dans les boîtes de nuit, d'après ce que lui avait raconté Admir.

Antoine, en appuyant sa nuque contre le mur de pierre, percevait la pulsation étouffée du système d'aération du restaurant. Les gens fumaient encore plus qu'avant. Avec la fin du siège, les cigarettes de contrebande étaient disponibles en grande quantité ; Antoine les achetait par cartouches. Deux jeunes serveuses vinrent prendre les commandes. Elles étaient jolies, avec ce galbe de la chair et cette qualité de peau qui les désignaient immédiatement comme des « Hongroises ». Les Sarajeviens appelaient ainsi les jeunes habitantes qui avaient quitté la ville dès le premier hiver du siège, pour aller se réfugier en Allemagne, au Canada ou ailleurs. Elles étaient revenues quand le cessez-le-feu avait permis de reconnecter le système de chauffage urbain de Sarajevo, en l'alimentant avec du gaz hongrois. Il y avait eu quelques explosions çà et là les premiers jours, car trois années de bombardement et d'inutilisation avaient endommagé le réseau, qui n'était plus vraiment étanche, mais on avait rafistolé les tuyaux et le miracle de

221

la chaleur avait irradié nombre de foyers, faisant revenir les jeunes Sarajeviennes nostalgiques.

Les plats les plus chers furent commandés, car c'était ID qui payait ce soir, accompagnés de vin français. Sinisa faisait une déclaration, avec son sourire de charmeur, à l'une des filles, mais ça avait l'air de la gêner plutôt qu'autre chose. Dragan se marrait. Il expliqua que les propos de Sinisa tournaient autour du calibre de son lance-roquettes personnel. Les serveuses se dépêchèrent d'apporter les commandes en cuisine, et Sinisa se pencha vers Antoine pour lui demander une cigarette. En la lui tendant, Antoine lui dit qu'en France, les gens arrêtaient de fumer parce qu'ils avaient peur de mourir. Cette considération mit en joie Sinisa, qui rétorqua que les Français ne comprenaient rien, et qu'une cigarette lui avait sauvé la vie. Devant l'expression interrogative d'Antoine, il raconta l'histoire.

« C'était pendant l'été 92, *cheffe*. Je marchais quelque part en Bosnie centrale, à la tête de mes hommes, comme je le faisais souvent. Il faisait très chaud, l'air était sec. Notre colonne avançait lentement, en direction de ce qui était supposé être la ligne de front, mais aucun mouvement n'était visible. Il n'y avait rien devant nous, sauf quelques éclaireurs qui nous disaient à la radio qu'il n'y avait rien ! La campagne était paisible, et nous commencions à nous demander ce que nous allions faire. J'ai pris une cigarette, et je l'ai portée à mes lèvres. Mais à cause de la chaleur, j'avais les lèvres sèches comme de la paille, *cheffe*, et la cigarette est tombée par terre. Je me suis baissé par réflexe pour la rattraper, et au même moment, l'homme qui marchait derrière moi est tombé, abattu d'une balle qui m'était destinée. C'était une unité d'élite de l'Armija qui nous attendait, et leurs snipers étaient bien embusqués. Nous avons eu des pertes, *cheffe*, avant de les neutraliser. »

Antoine réfléchissait à l'anecdote, étudiant la fumée de sa propre cigarette pour y déchiffrer une morale utile, lorsqu'il la vit, à l'autre bout de la salle, dans l'angle, attablée avec un homme. Il la vit avant que son parfum ne lui parvienne, et qu'il sût que c'était le sien. Un parfum rare et cher. On pouvait, à Sarajevo, croiser les effluves de parfums bon marché et de parfums de luxe, mais pas de parfums rares et chers. Elle n'était pas d'une beauté exceptionnelle. Blonde, avec une mèche qui retombait en partie sur le côté droit de son visage plein, où un nez petit donnait à des yeux clairs et à des lèvres aux lignes vivantes le loisir de se distinguer. Un pull à col ouvert laissait deviner le poids de deux seins mûrs. Elle ne ressemblait absolument pas aux expatriées qui débarquaient comme des touristes depuis la fin du siège. Plusieurs fois par semaine, Antoine les voyait, à l'occasion des *coordination meetings* qui se multipliaient. Les accords de Dayton et le cessez-le-feu avaient déclenché une avalanche de financements institutionnels – Union européenne, gouvernement américain et autres – pour l'humanitaire en Bosnie, plus que pendant toute la guerre. Beaucoup d'ONG absentes aux mauvais jours faisaient subitement preuve d'une motivation fébrile. On s'arrachait les bénéficiaires et les projets de reconstruction. Mais s'il y avait de plus en plus d'ONG, il y avait de moins en moins de vrais besoins, et les *overlapping*[1] se généralisaient. Les réunions de coordination trouvaient là

---

1. « Chevauchement » : quand deux ONG mettent en œuvre le même type de programme d'assistance sur la même population, au même moment.

une justification nouvelle, et il y avait même une ONG qui avait reçu un financement uniquement pour assurer la coordination des ONG. Antoine avait appris à venir assister à ces réunions comme on vient au cirque, défendant toutefois avec énergie et avec l'autorité de ceux qui n'avaient pas attendu la fin de la guerre pour intervenir la position jalousée d'Intervention Directe. Il reluquait aussi franchement les nouvelles.

Mais elle n'avait rien à voir avec la grande parade du barnum. Antoine n'arrivait pas à détacher ses yeux d'elle, qui donnait le sentiment d'être, à chaque instant, miraculeusement juste, ainsi qu'un équilibriste. Elle était là, en train de dîner en compagnie d'un type d'une cinquantaine d'années avec une tête d'Américain cultivé à lunettes, et quelque chose disait qu'elle pouvait chuter et se perdre à tout moment. La lumière l'avait compris, qui l'habillait, l'entourait, avec une tendresse particulière. Sinisa aussi l'avait compris, et enserré les épaules d'Antoine de son bras de lutteur.

« *She is for you, cheffe.*

— *Why ?*

— *Forget why. Why is fucking joke. Just do what you have to do to stay alive*[1]. »

Antoine décida de faire ce qu'il avait à faire pour rester du côté des vivants. Il se leva, alla décrocher, sur le mur de la cave, un pistolet. C'était un Tokarev soviétique de la Seconde Guerre mondiale, qui n'avait plus de percuteur et était dépourvu de chargeur, mais il fallait le savoir.

---

1. « Elle est pour toi, chef. – Pourquoi ? – Oublie pourquoi. Pourquoi est une putain de blague. Fais juste ce que tu dois faire pour rester vivant. »

Il se dirigea ensuite vers la table où elle continuait à discuter avec son vis-à-vis, lequel portait une épaisse chemise à carreaux de trappeur. Il braqua l'arme sur celui-ci, qui écarquilla les yeux derrière ses lunettes, paniqué. Antoine ne pouvait que le comprendre. Il lui dit, sans aucune méchanceté mais avec conviction : *I need to be alone with the lady*[1]. Le type se leva et s'écarta précipitamment, renversant sa chaise, tandis que Dragan, Sinisa et les expatriés l'entouraient et l'emmenaient vers la sortie en lui expliquant en anglais qu'Antoine avait juste besoin de parler à une femme comme on parle à une mère, car il avait vu tellement d'atrocités ici que sa tête était un peu malade. Les autres clients, en raison du couvre-feu qui tombait maintenant à vingt-deux heures, étaient déjà partis. La courte scène n'avait pas eu de témoins et, le temps qu'elle avait duré, la jeune femme blonde avait eu l'air de s'amuser ; elle regardait maintenant Antoine, qui était assis en face d'elle, avec un sourire ironique. Il entreprit de s'expliquer en anglais et elle l'interrompit.

« Vous pouvez parler en français. Et vous devriez aller remettre ce pistolet de cinéma au mur avant que les serveuses n'appellent le patron.

— Vous avez raison. »

Antoine tendit l'arme à l'une des serveuses, qui la prit et la remit en place, tout en maîtrisant mal un fou rire. Visiblement, elle et sa copine n'avaient rien vu d'aussi drôle depuis longtemps. Bob et le reste de l'équipe étaient revenus. Sinisa avait invité les filles à leur table. Tous faisaient mine d'ignorer Antoine et la jeune femme blonde.

« Vous m'avez mise dans l'embarras. L'homme que vous

1. « J'ai besoin d'être seul avec cette dame. »

venez de chasser est très gentil, et c'est un collègue de travail. Vous êtes toujours aussi exhibitionniste?

— Je suis désolé. J'avais peur que vous ne soyez ici que
pour deux jours, et que je ne puisse plus vous revoir. »

Elle avait des taches de rousseur sur le visage, dans le
sillon de sa gorge et sur ses avant-bras, où de jolis bracelets
d'or blanc cliquetaient à mesure qu'elle faisait fondre un
sucre dans son café. Son parfum laissait le sillage d'un orage
d'été. Elle avait reposé sa tasse et le regardait, le visage
appuyé dans sa main, que touchait presque une mèche
dorée. Elle souriait toujours.

« En fait, je suis là pour quelques mois. Mais puis-je
savoir à qui j'ai l'honneur?

— Je m'appelle Antoine. Je suis arrivé ici par hasard. Au
départ, je vidais les soutes à bagages sur l'aéroport d'Orly,
en France. Pour le reste, je n'ai pas vraiment tout compris.
Je me suis efforcé de faire au mieux. »

Les Serbes fuyaient leurs anciens quartiers, qui etaient
revenus sous l'autorité du gouvernement bosniaque. Ils
déterraient leurs morts pour les emmener avec eux et
mettaient le feu à leurs maisons avant de partir. À Ilidza et
Grbavica, les incendies avaient noirci les immeubles. Une
odeur de fumée froide stagnait dans l'air, où d'infimes particules d'objets carbonisés flottaient au gré des vents. Pendant ce temps, Antoine était heureux. Lui qui auparavant
s'attardait dans son bureau en fin d'après-midi, laissant
l'équipe partir pour savourer une heure de solitude devant
la ville offerte à sa rêverie, disparaissait maintenant vers
dix-huit heures. Il la retrouvait au café *Lora*. Le soir de leur
rencontre, à la cave, elle n'avait pas voulu lui dire son pré-

nom. Elle lui avait donné, à la place, leur premier rendez-vous. Il avait fallu qu'elle accepte qu'il l'embrassât – ce qui n'avait pas été trop long – pour prononcer le mot magique. Elle s'appelait Michaela. Mère française naturalisée américaine, père pilote de chasse dans l'US Air Force. Elle travaillait à une structure mixte ONU-gouvernement bosniaque dont la mission était de retrouver et d'identifier les disparus. Il fallait mettre en place une base de données, recueillir et croiser les informations et témoignages précis sur les dates et les lieux des tueries, les emplacements des charniers, les noms des responsables, et déterminer les procédures techniques. Il fallait faire appel, notamment, à des enquêteurs et à des spécialistes de médecine légale. Des gens qui savaient faire parler des restes de dentition, des mèches de cheveux ou un bout de corde rongé autour des os des poignets. Toute la journée, elle s'occupait de cela.

Le soir de leur premier rendez-vous, elle s'était donnée à lui sans calcul. Elle l'avait emmené dans le studio mansardé qu'on louait pour elle, dans le quartier aux ruelles étroites, sinueuses et pentues de Bjelave. Quand elle s'était installée dans les lieux, la logeuse lui avait expliqué qu'un précédent locataire – un type bizarre, un Belge, qui payait son loyer sans retard – avait laissé des peintures sur les murs. Comme cela coûtait plus cher de faire repeindre que de ne rien toucher, les œuvres étaient restées. Antoine avait déshabillé Michaela dans une pièce décorée de palmiers exubérants, d'éléphants, de girafes et d'oiseaux fabuleux. La chair de Michaela avait le goût du mescal et un parfum de chaume. Elle jouissait à cloche-pied sur une grande marelle battue par les vagues. Après, dans l'odeur du sexe, elle avait parlé de son père, doucement, sans gravité. Antoine l'écoutait en naviguant du bout des doigts dans les archipels que dessinaient sur sa peau les taches de rousseur, qui étaient en réalité des taches de blondeur.

« On habitait une petite maison avec un jardin à côté de la grande base aérienne de Nellis, dans le désert du Nevada, quand j'étais toute petite. La nuit, les lumières de Las Vegas vibraient au loin. On pouvait entendre les réacteurs des jets qui s'entraînaient toute la journée, mais dans ma tête cela n'avait pas vraiment de rapport avec mon père. Pour moi, mon père était une sorte de héros de bande dessinée. J'avais reçu un album très vieux – ça devait être l'un des premiers, dessiné en noir et blanc, avec une grosse couverture en carton et un dos jaune – des aventures de Mickey. C'était *Mickey aviateur*. Une histoire très simple, que je n'arrêtais pas de relire : Mickey arrivait sur un terrain d'aviation où avait lieu un meeting aérien et se retrouvait malgré lui, par un incroyable concours de circonstances, aux commandes d'un avion qui ressemblait à l'avion de Blériot ; il parvenait bien sûr à le faire décoller, à voler et à atterrir sous les applaudissements de la foule qui l'accueillait, à sa grande surprise, comme un vrai pilote. C'était ça, ce que faisait mon père, pour moi. Tous les soirs, quand il était à la maison, il venait m'embrasser dans mon lit au moment de me coucher. C'était un homme très doux, avec des pattes sur les côtés des yeux qui se plissaient quand il souriait. Un jour, ma mère m'a expliqué qu'il devait partir longtemps pour aller faire voler des avions dans un pays à côté de la Chine qui s'appelait le Vietnam. Le soir avant qu'il nous quitte, il est monté dans ma chambre et est resté longtemps, me parlant de la terre qui est si étonnante et si belle, avec les champs de couleurs différentes, les routes et les voitures toutes petites, les maisons comme des cailloux, le désert et la mer comme de grands draps plissés, quand on la voit de là-haut. Pendant six mois ma mère me lisait les passages de ses lettres où il me disait d'être sage et gentille, de bien travailler à l'école, et qu'il pensait à moi et rentrerait bientôt à la maison. Et puis un jour il n'y a plus eu de lettres. Ma mère avait changé. Elle ne riait plus et s'enfermait dans sa chambre. Elle m'embrassait beaucoup, et voulait toujours que je m'amuse. Plus tard, j'ai appris les détails. Il a été abattu aux commandes de son Phantom au-dessus du Nord-Vietnam par un missile SAM. Ni lui ni le navigateur de bord n'ont été retrouvés. Étudiante, je suis tombée sur cette célèbre photo d'une petite fille vietnamienne qui court sur une route, nue, en hurlant de douleur, brûlée au napalm. Je me suis souvent demandé si c'était mon père qui avait largué les bombes au napalm, ce jour-là. »

Les peintures sur les murs de la chambre s'étaient estompées, reculant dans la nuit pour ne laisser que des contours primitifs, croquis rupestres devinés sur la paroi d'une grotte. Les poutres apparentes au plafond se confondaient de plus en plus avec l'obscurité. Elles sombraient à l'envers dans l'indéfini où ils reposaient tous les deux, innocents.

Le dimanche matin, sur la place où se trouvait le kiosque-fontaine, les cafés sortaient tables et chaises. Le kiosque laissait voir sa blessure de guerre. Un obus de mortier avait entamé, sur un côté, les trois degrés de ses marches. Mais l'eau coulait toujours par le robinet qui surplombait un évier à ablutions. Le tronc, décoré de bois ouvragé imitant les moucharabiehs, et sur lequel étaient suspendues de petites lanternes, ainsi que le toit large de style ottoman, étaient restés intacts. Les passants se reposaient, assis sur les bancs de pierre qui entouraient sa base, et les pigeons se posaient sur le toit. Avec les beaux jours, Michaela et Antoine venaient prendre le café du dimanche, après une grasse matinée, face au soleil et à la place. Le serveur de l'établissement était un homme maigre aux cheveux prématurément blanchis. Il était vêtu d'un costume gris élimé très propre, d'une chemise blanche et de chaussures noires parfaitement cirées. Il portait également, posée sur le bras droit, une serviette dont il n'usait jamais. Le serveur venait déposer sur leur table la cafetière turque avec son long manche de métal et son bec verseur. Tout autour, les gens s'enivraient de la joie d'être vivants. Les chaises et les tables n'étaient pas occupées que par des habitués du quartier. Tous ceux qui étaient restés enfermés pendant trois ans et demi ressortaient et aspiraient l'air à pleins poumons. En ce premier printemps de paix, les survivants redécouvraient le plaisir miraculeux d'être assis à un café, sous le soleil, dans une ville qui n'était plus bombardée, où personne ne visait personne dans une lunette de précision. Chaque terrasse était une fête. Les vieux Sarajeviens se saluaient cérémonieusement avant de s'asseoir pour d'interminables discussions ou de longues parties d'échecs. Ils perpétuaient un rituel entamé, pour certains, bien avant Tito. Les plus jeunes faisaient orgie de frivolité ; éclats de rire, cris, drague et chansons idiotes. Incapables de tenir en place, ils s'interpellaient d'une table à l'autre, s'invitaient bruyamment, bondissaient rejoindre un groupe, échangeant leurs chaises. Le sexe était dans chaque geste, chaque sourire, chaque regard. La joie de Michaela et d'Antoine était une fête dans cette fête.

Après la terrasse devant le kiosque, ils se promenaient

dans les ruelles de la vieille ville comme des touristes. Les échoppes au toit oriental, de plain-pied, avaient des devantures de bois et se serraient les unes contre les autres au point qu'il était difficile parfois de les distinguer. Il y avait des boutiques de souvenirs qui étaient restées fermées pendant le siège et qui rouvraient, avec leurs cartes postales, leurs assiettes, leurs mille objets inutiles qui dataient de l'époque yougoslave. Des artisans proposaient meubles, bibelots, bronzes et cuivres. On trouvait des marchands de tapis et des antiquaires qui vendaient de fausses armes ottomanes, de vieux instruments de musique et des portraits de Tito. La grande loterie des bombardements n'avait pas épargné Bascarsija. Çà et là, un obus, un jour, avait écrasé une baraque et, entre deux enseignes, des ruines noircies où des poutres calcinées tombaient dans les gravats vibraient encore des récents effrois. Dans la rue des bijoutiers, Antoine offrit à Michaela un pendentif en or qu'il aurait eu honte de regarder quelques semaines plus tôt : deux cœurs entrelacés avec, dans l'ovale où ils s'interpénétraient, une fleur de lys. Il se sentait bête et heureux de cette bêtise. Si la faim se faisait sentir, ils achetaient dans un estaminet ouvert sur la chaussée des *bureks*, ces gros beignets fourrés à la viande, à l'enveloppe croustillante, poisseux d'huile, délicieux et écœurants. Quand ils n'avaient plus envie d'être au milieu des autres, ils rentraient au studio de Michaela pour faire l'amour. Ils somnolaient ensuite, enlacés, dans la rumeur de la ville bourgeonnante.

Avec la réunification de la ville, les programmes d'assistance commençaient à changer de nature à Sarajevo comme ailleurs. L'heure était à la reconstruction. L'activité

231

fébrile du barnum humanitaire suivait sans trop d'états d'âme les mots d'ordre des grands bailleurs de fonds. Intervention Directe envisageait de prendre en charge, dans le quartier d'Otes, coincé dans les faubourgs sud de la ville, la réhabilitation d'un groupe d'immeubles qui s'étaient trouvés, pour leur malheur, au milieu des premières batailles de la guerre. C'était un énorme chantier, mais l'Union européenne était prête à financer largement l'opération, et le siège parisien envoya comme consigne de se porter candidat. Antoine alla y voir de plus près. Les bâtiments semblaient avoir été atteints par la petite vérole, et les habitants qui étaient restés campaient dans les ruines de leurs propres appartements, sans eau, sans vitres et parfois sans toit. Beaucoup avaient néanmoins bricolé des branchements sauvages reliés à un pylône électrique. À côté des bâches plastique qui protégeaient les fenêtres, on pouvait souvent remarquer une antenne parabolique, et en visitant un logement, Antoine put voir un magnétoscope et un téléviseur dernier cri trôner dans une pièce où un matelas crevé servait de lit.

Il allait falloir faire venir de France un spécialiste du BTP pour piloter les travaux avec des entreprises locales. C'était bizarre de commencer à s'occuper de choses comme ça après avoir distribué aux gens pendant si longtemps des colis de première nécessité. Le malaise que ressentait chaque jour un peu plus Antoine lui révélait à quel point l'action humanitaire l'avait fait homme. Il est pénible de devoir observer une activité qui a été en mesure de nous constituer en tant qu'être agissant dans le monde s'égarer pour, paradoxalement, ne pas disparaître du paysage à tout prix.

En faisant le tour du coin à pied, Antoine tomba sur

une rue « Gavrila Principa », du nom du meurtrier de l'archiduc François-Ferdinand. Ce n'était pas dans ce quartier que cela s'était passé. Le 28 juin 1914, jour de la grande fête serbe de Saint-Guy, célébrant la défaite héroïque de Kosovo Polje, vers onze heures, le chauffeur de François-Ferdinand, qui venait d'échapper à un premier attentat à la grenade, avait engagé la voiture dans l'ancienne rue François-Joseph, au centre-ville. Gavrilo Princip, qui se tenait là avec un revolver dans la poche, avait saisi l'occasion. Le jeune Serbe de vingt ans – dans un état second, d'après les témoins – avait sorti son arme et tiré quatre balles sur François-Ferdinand et son épouse, la duchesse de Hochenberg. L'assassinat de l'archiduc avait déclenché la guerre entre l'Autriche, dont François-Ferdinand était le dauphin, et la Serbie, accusée, à travers l'organisation clandestine La Main noire, d'avoir tiré les ficelles. Le jeu des alliances avait fait le reste et entraîné la Première Guerre mondiale. Antoine, à vivre dans ce Sarajevo qui semblait toujours refaire le même cauchemar, s'était souvent demandé ce qui s'était passé dans l'esprit de Princip. Maintenant il pouvait voir ce que celui-ci avait voulu au moment où il avait visé l'archiduc, avant de presser la détente et de recommencer. Passer une fois pour toutes de l'autre côté du miroir. Les snipers qui faisaient des cartons dans cette même ville, et les assassins de Srebrenica et ceux de Kaduha avaient également voulu cela. Ils s'étaient convaincus qu'il fallait faire ça pour la grande Serbie, pour exterminer les *Inyenzis*, pour laver le sang avec le sang, mais tout cela était foutaise. Quelque chose, qui attend dans le cerveau reptilien, veut accomplir un acte irréversible, un geste qui tourne pour toujours le dos à la pitié. Antoine aussi était passé de l'autre côté, mais il était passé en fraude ;

une sorte de passager clandestin de la vérité. Il n'avait pas perdu la pitié et avait reçu la joie, pourtant il ne pourrait plus jamais faire semblant. De l'autre côté, il avait trouvé la peur, la brûlure, le barnum et Michaela. En repensant à la lettre qu'avait envoyée Yasmina à sa mère adoptive, il voyait aujourd'hui ce que lui saurait écrire. Il connaissait maintenant le visage de son accomplissement, et peut-être avait-il cheminé ce parcours intranquille pour parvenir jusqu'à elle au bon moment, et la reconnaître. Si la souffrance des autres est supportable, elle finit malgré nous par nous rendre capable d'aimer. Ne pouvant plus feindre, il n'avait plus le choix. Mais la question du choix était devenue accessoire. Il pouvait toujours, avec Michaela, faire un pas en avant.

En repassant dans le hall effondré de l'un des immeubles visités, Antoine vit un rat filer à l'anglaise. Il y avait des gravats et des tas de détritus très intéressants pour un rongeur partout sur le sol, mais le rat n'était pas sorti de là. Il était parti d'un coin pour aller ailleurs, longeant un mur sans s'arrêter. C'était un beau rat, avec un poil luisant, mais l'animal sentait confusément qu'il devait à nouveau se protéger, se cacher avant toute chose. Les jours heureux des ruines et du chaos se terminaient pour lui. Le temps de la reconstruction arrivait. Délivrés de l'angoisse permanente de leur propre mort, les hommes allaient bientôt pouvoir s'occuper à nouveau de l'extermination des rats. Antoine, lui aussi, commençait à ressentir une sourde agitation. Déphasé de l'action qu'il avait en charge d'organiser, il allait devoir, tôt ou tard, en tirer à son tour les conséquences.

Malgré la fin des hostilités, le rituel de la radio-vacation se perpétuait, afin de maintenir la cohésion des équipes dispersées sur les différentes bases opérationnelles. Un matin, Anera, l'opératrice assistante de Zenica, annonça dans son anglais de cantinière qu'il y avait un « *big problem* » et qu'elle allait essayer de joindre Antoine au téléphone. Les lignes intérieures, comme le réseau de chauffage urbain, avaient été reconnectées autant que possible, et le combiné fonctionnel gris posé sur le bureau d'Antoine ne tarda pas à sonner. La voix d'Anera flanchait un peu. Elle était perdue. Sinisa avait disparu. Il avait laissé un mot pour l'équipe bosniaque et un autre pour Antoine dans une enveloppe. Le billet laissé sur le bureau d'Anera disait qu'il partait pour l'Australie – il y avait une communauté croate importante, là-bas – et qu'ils se retrouveraient un jour, quand Tito se donnerait la peine de ressusciter pour botter le cul à tous les Yougos. Antoine écoutait Anera, le visage tendu vers l'air doux du matin qui venait le caresser par la fenêtre ouverte de son bureau. Elle expliquait que Sinisa avait laissé les clés du pick-up et n'avait pas touché à la caisse de la base de Zenica. Antoine sourit. « Partir comme un voleur » après s'être approché aussi près de la vérité ? Il décida de se rendre à Zenica le jour même. Il ne fallait pas laisser l'équipe là-bas seule trop longtemps, dans le vide énorme qu'avait laissé son chef.

C'est avec Stéphane, le coordinateur de programme, qu'Antoine prit la route. Stéphane était un garçon mince, presque maigre, avec des lunettes, des cheveux courts et un sourire de gamin. Son sens de la camaraderie ainsi qu'une réserve naturelle lui valaient l'estime de chacun. C'était sa deuxième mission. En 1994, il avait été en Somalie pour une autre ONG, au temps des combats à coups de « technical[1] » entre milices des différents seigneurs de guerre dans les rues de Mogadiscio. C'était juste après le retrait des Américains. Il en avait ramené un calme inaltérable, et une frustration humanitaire qu'il soignait en Bosnie. Depuis son arrivée à Sarajevo, il faisait du bon travail. Il savait prendre le temps de boire des *pivos* avec les Bosniaques et de les écouter. Il était souvent sur les bases opérationnelles, avec les équipes de distribution. Antoine avait parfois l'impression, en l'observant, de se revoir lui-même à Gikongoro, au milieu des camps. Quand Stéphane avait appris pour Sinisa, il avait tout de suite proposé à Antoine d'aller assurer la direction de la base de Zenica le temps qu'il faudrait, et il avait fait son sac. Prendre la suite d'un personnage aussi imposant devait être sa revanche sur les *fighters* de Mogadiscio. Peut-être aussi une manière de fuir le barnum.

Sur la route, ils doublèrent des convois IFOR qui pétaradaient leur nuage d'échappement, et ils furent doublés par des berlines neuves de fabrication allemande. On pouvait également voir des Gypsies édentés, aux croisements, qui vendaient des cartouches de cigarettes de contrebande.

L'équipe bosniaque les attendait à la base de Zenica. Sur la table basse, dans la pièce principale, une bouteille de *slivo* était entamée. Antoine et Stéphane s'assirent et prirent les verres qu'on leur tendit. Un store déchiré offrait une pénombre trouée de rais de soleil qui faisaient des taches chaudes sur le plancher et laissaient voir les particules de poussière qui dansaient dans l'air. Antoine eut

---

1. 4 × 4 sur lequel une mitrailleuse ou un canon sans recul a été monté.

l'impression qu'il n'y avait pas autant de poussière quand il était venu rencontrer Sinisa. Dans ce décor de détective privé, son verre à la main, il perçut avec acuité et ironie le sens exact de sa présence ici. Mener l'enquête sur la disparition de Sinisa. Le colonel Sinisa ?

Antoine perça le silence. L'équipe avait envie de parler. Les distributions allaient se poursuivre malgré tout. Ils étaient tous d'accord là-dessus. Le logisticien, un grand type à l'air faussement benêt, ancien joueur de rugby – sport confidentiel en Bosnie –, énuméra les quantités de colis alimentaires stockés dans l'entrepôt et vérifiés par lui-même. En lisant sa fiche d'inventaire, il tapait légèrement du pied gauche contre le plancher, sur un rythme de pas de gymnastique.

La bouteille de *slivo* se vidait, et le cendrier se remplissait. Ce fut Stéphane qui posa la bonne question. Y avait-il eu, récemment, un incident, un événement particulier qui ait marqué les activités de la base ? Anera, qui devait attendre l'occasion, répondit avec un soupir de soulagement. Oui, en effet, quelque chose avait profondément affecté Sinisa. Il y avait une dizaine de jours de cela, il était allé, seul, voir un village très abîmé par la guerre. Une bonne moitié des maisons était touchée. Antoine avait donné pour consigne à toutes les bases opérationnelles de mener des évaluations sur leur zone, destinées à présenter rapidement des projets de reconstruction aux bailleurs de fonds. Sinisa connaissait bien ce village. C'était un village mixte, Croates catholiques et musulmans. Les habitants étaient restés ensemble, unis, tout au long de la guerre. Il semblait que cela eût attiré la rage des artilleurs des deux camps qui l'avaient, à tour de rôle, régulièrement pris pour cible. Mais les villageois s'étaient resserrés plus encore, et s'étaient aidés les uns les autres à réparer leurs habitations. Un jour, des représentants d'une ONG islamique étaient venus et avaient proposé de distribuer chaque semaine des colis alimentaires aux seuls musulmans. Le village s'était réuni, et ils avaient décidé de refuser l'aide. Les bombardements avaient continué à les punir, mais ils tenaient bon. Dayton et le cessez-le-feu étaient arrivés, et tout l'argent et le barnum avec. Récemment, une ONG catholique anglo-saxonne s'était présentée, et avait offert de reconstruire à neuf toutes les maisons des catholiques. Ceux-ci avaient accepté. La haine, qui n'avait pas réussi à entrer de toute la guerre, était maintenant installée dans le village. Anera secoua la tête, comme pour s'excuser. Elle reprit.

« Sinisa nous a raconté ça en tremblant de colère. Puis il est devenu brusquement silencieux, indifférent. Il restait enfermé dans son bureau. Il passait parfois de longs coups de fil. Il devait préparer son départ. Et puis il a disparu. »

Antoine se leva pour remonter le store et laisser la lumière joyeuse, chaude, envahir la pièce. Il ouvrit la fenêtre en grand. Il n'y avait plus de *slivo* mais il restait des *pivos* dans le petit Frigidaire de bar installé à côté de la radio HF. Il laissa Stéphane faire connaissance avec l'équipe et alla dans le bureau de Sinisa, où l'enveloppe que celui-ci avait laissée pour lui l'attendait. Il l'ouvrit et lut.

> « *Sorry, Cheffe. I'm just fed up with this fucking circus. I'm going to Australia. I want to get drunk with the abos before it's too late. Keep close to Michaela. And remember : you have to be a passenger through the other side of the rain… Dovidjena, videmo se*[1]. »

1. « Désolé, chef. Je n'en peux plus de ce putain de cirque. Je pars en Australie. Je veux me soûler avec les aborigènes avant qu'il ne soit trop

Au retour, Antoine eut envie de faire un détour par Breza, et peut-être, pourquoi pas, d'essayer de retrouver le café où Dragan avait travaillé pendant la guerre. Y régler sa consommation serait une sorte de *private joke*.

La fin des combats avait permis de sécuriser d'anciennes routes. Antoine quitta Finch pour Skoda, l'un des nouveaux itinéraires IFOR. Le fléchage ne devait pas être totalement achevé car, après Podvinje, la direction de Breza n'apparaissait plus sur de petites planchettes fixées aux arbres ou aux poteaux, avec la mention *Skoda* dessus. À un carrefour, il y avait un petit blindé léger IFOR stationné sur le bas-côté. Antoine s'arrêta et descendit pour demander son chemin. Il fit le tour de l'engin, et posa sa main sur l'arrière du moteur et l'échappement ; c'était froid. Il n'y avait personne à l'horizon. Il se décida à frapper contre le blindage. Toc toc. Quelque chose sembla bouger à l'intérieur, et, finalement, le capot de la tourelle s'ouvrit avec un bruit pas sérieux de couvercle de lessiveuse. Un minuscule soldat bangladeshi émergea, le visage chiffonné de sommeil, clignant des yeux comme un hibou. Il ne savait pas exactement où se trouvait Breza, et n'avait jamais été au-delà de la position où le petit blindé venait attendre tous les jours.

Un mardi, en fin de matinée, la ligne extérieure sonna. Une communication du siège à Paris pour Antoine. C'était

tard. Reste tout près de Michaela. Et souviens-toi : tu dois être un voyageur qui passe de l'autre côté de la pluie... Au revoir, à la prochaine. »

Coq. Il n'appelait pas pour faire le point sur les programmes ou discuter d'un projet important.

« Je te passe un coup de fil de la part de Michel. Je sors d'une réunion avec lui. On a un coup dur. Georges s'est fait tuer hier au Burundi dans une embuscade sur la route, par des "assaillants". Il venait de prendre en charge pour nous un orphelinat de cent vingt enfants à Muramvya. On a pensé tout laisser tomber. On est sous le choc, tu imagines. Mais Michel, en hommage à Georges, dit qu'il faut refuser d'abandonner. Et puis les mômes, maintenant qu'on les a regroupés, ils n'ont plus que nous. Bref, on a personne sous la main pour prendre la relève vite et bien. Avec Michel, on a pensé à toi. T'as fait les camps à Gikongoro, et tu connais la musique. Robert, ton administrateur, peut te remplacer comme chef de mission à Sarajevo. De toute façon, maintenant, la Bosnie, c'est du BTP, non ? J'ai cru comprendre que ça commençait à t'emmerder. Voilà, je t'ai tout dit. Rappelle-moi demain pour me dire si tu prends. »

Le soir même, Antoine dînait avec Michaela au *Dva Ribara*[1], un restaurant situé sur le quai Obala Maka Dizdara, sur la rive longtemps tenue par les Serbes. Ils avaient choisi une table en plein air, pour savourer l'été. La lumière du mois de juin s'attardait pour jouer avec la Miljacka. La rivière, très basse, laissait ses fonds cailloux griffer le courant de remous et accrocher le soleil. Michaela avait les bras nus, et sa peau tachetée était légèrement humide, à cause de la moiteur du soir. Antoine avait envie de lécher

1. « Les deux pêcheurs ».

sa sueur. Ils avaient commandé du poisson. Antoine avait raconté l'appel de Coq. Il repensait à Georges, dans la villa de Kigali, et au débriefing improvisé au milieu des fleurs du jardin. Il se demandait, aussi, si Bijou était retournée à Lagos pour y faire son enfant. Il n'avait jamais été que de passage au Burundi. C'était dans le ventre de la Nigériane qu'il s'y était senti le plus présent, incarné. Mais aujourd'hui, il n'était plus seul à avancer en équilibre sur le fil. Il pouvait à tout instant saisir une main. On apporta les truites. Elles étaient délicieuses. Michaela regardait la ville, la rivière, puis Antoine, en mangeant doucement la chair délicate. Ils avaient pris du vin blanc, et elle essayait de ne pas trop boire, mais régulièrement son verre était vide et Antoine la resservait en souriant. Après le dessert, elle alluma une cigarette.

« Eh bien moi je suis plutôt contente de ce coup de téléphone. Tu sais, je crois que c'est le panneau de direction que tu cherchais. Qu'est-ce qu'on a de mieux à faire ? Bientôt, mon travail ici sera achevé. Je pourrais d'ailleurs partir dès maintenant sans que cela ait des conséquences sérieuses. Tout est en place. Toi, tu en as assez du barnum, et Sinisa doit être en train de traverser l'Australie dans une bagnole déglinguée. Cent vingt enfants. Juste cent vingt enfants. C'est simple, c'est clair. Avec un peu de chance et de mémoire, on pourra même finir par retenir chacun de leurs prénoms. Et tant pis si on y reste. Qu'est-ce qu'on peut se bricoler d'autre qui tienne debout, tous les deux ? Tu nous vois nous installer dans une petite maison avec un jardin ? »

Après le dîner, ils grimpèrent sur le monticule de Jarcedoli pour regarder le soleil se coucher sur la ville. Le crépuscule déchirait les brumes de chaleur sur les collines et sur Sarajevo. Ils pouvaient voir la vieille bibliothèque, la Miljacka et la succession de ponts qui disparaissaient vers le quartier de la Skanderija. Ils distinguaient également les minarets des mosquées, le clocher de la cathédrale et les tours Unis. Au loin, vers l'aéroport, les feux de position d'avions gros-porteurs de l'IFOR en approche clignotaient avant de plonger et de disparaître. L'air était chargé d'un million de pulsations, et d'un parfum léger d'épices et de pierres chauffées.

ÉPILOGUE

La maison avait appartenu, longtemps, à un groupe de pères blancs partis s'installer plus loin, dans la province voisine de Gitega. Elle avait ensuite été habitée par un Allemand qui était venu réaliser une étude sur le biotope burundais, mais il était retourné en Rhénanie dès les premiers jours de la guerre civile. Elle était vaste, et il y avait toujours des chambres libres pour des hôtes de passage. Le devant de la maison s'ouvrait sur une allée de terre, et était exposé au soleil une grande partie de la journée. L'arrière, plus sombre, s'enfonçait presque dans la végétation qui encerclait les murs. Il y avait des ficus, des papayers, quelques cocotiers et, çà et là, des cannas. L'intérieur était décati. Les murs blanchis à l'origine n'avaient plus de couleur. Une couche de poussière fine, semblable à du salpêtre, en tombait quand on les grattait. Le carrelage de la salle de bains se disjoignait et se brisait lentement. Une partie de la plomberie était hors service et, la nuit, les fuites faisaient un bruit doux de clapotis et de marais, amplifié par les tuyaux. L'électricité avait été bricolée afin de permettre à une cuisinière et à la radio HF de fonctionner. Les gros ventilateurs aux plafonds des chambres et du grand salon ne tournaient plus depuis des années. On avait installé des moustiquaires au-dessus des lits, mais cela ne suffisait pas et, le soir venu, il fallait faire brûler des serpentins de répulsif à moustiques dont l'odeur, dans la journée, venait se mêler à celle du jardin. De petits lézards verts à ventouses couraient sur les murs, s'immobilisant brusquement pour effectuer avec leurs pattes de curieuses séries de traction. Ils chassaient les insectes et, pour cela, personne ne les chassait. Sur le perron, un large fauteuil en osier avait été laissé par l'un des précédents occupants. Antoine, ce matin, était en train d'y lire un numéro périmé du *Monde* apporté par un expatrié venu de Paris pour renforcer l'équipe de l'orphelinat. Au début, ils avaient cru pouvoir s'occuper de tout à deux. Mais un orphelinat de cent vingt enfants demande plus de travail qu'une mission tout entière. Quinze heures par jour en moyenne. Toute la logistique de l'approvisionnement, l'organisation des journées, la formation et la gestion du personnel burundais, la lutte permanente contre les vols, les détournements, les relations avec les autorités locales, avec l'armée, et les visites en brousse pour rechercher parents et enfants. Ils ne savaient jamais de quoi le lendemain serait fait, et Antoine, la nuit, goûtait la sueur sur la peau de Michaela en écoutant les échos des ratissages des militaires, ou des attaques des « assaillants », comme il était convenu de nommer les groupes rebelles. Le siège à Paris avait décidé à leur place de leur envoyer un logisticien-administrateur pour les soulager, et maintenant qu'il était là ils étaient bien contents. Le type avait vingt-huit ans. C'était sa première mission, mais un coup d'œil suffisait pour voir qu'il ferait du bon boulot. À sa façon de marcher on pouvait déjà savoir qu'il se sentait bien en Afrique. Il avait laissé son journal à Antoine et effectuait en ce moment la visite de l'orphelinat avec Michaela. Le bâtiment était à une dizaine de minutes à pied. Il avait été construit par les Belges pour être, dès l'origine, un orphelinat. De structure carrée, avec une vaste cour intérieure maintenant transformée en pelouse, il était solide, simple, fonctionnel et assez lumineux. Il était entouré de végétation, comme la maison. Les dortoirs et les réfectoires s'ouvraient sur une vision de jardin tropical. À un angle, il y avait l'ancien bureau de Georges, avec la petite pièce adjacente où il dormait, sur un lit de camp. Antoine et Michaela n'utilisaient pratiquement pas ce bureau, auquel ils n'avaient pas touché. La petite cellule privée de Georges était également intacte. Il y avait encore ses livres sur une caisse, quelques vêtements, des chaussures et un petit bouddha rapporté du Cambodge qu'il avait dû trimbaler partout avec lui. Le cadre de son lit de camp était en bois clair et, à l'endroit où sa tête avait reposé chaque nuit, on pouvait voir la tache foncée qu'avait laissée sa sueur. Après les Belges, l'orphelinat était passé sous la responsabilité de l'État burundais, mais la guerre civile avait privé de moyens l'établissement, qui avait été abandonné. L'armée l'avait utilisé un temps comme casernement de passage, puis une ONG suisse l'avait repris. Ils étaient parvenus à remettre sur pied une vraie structure, qui tournait, et les enfants étaient revenus, mais les Suisses avaient du mal avec l'insécurité, les attaques et les rafales d'armes automatiques qu'on entendait la nuit, et ils avaient offert à Intervention Directe de reprendre l'affaire. Georges était descendu de Kigali, et il avait dû avoir le coup de foudre, car il n'était jamais remonté au Rwanda.

Antoine poursuivait sa lecture. Dans les pages internationales, il tomba sur une brève.

Bosnie-Herzégovine : la police de Sarajevo a entrepris de faire à nouveau respecter la loi. Sur la célèbre Sniper

Alley, des fonctionnaires sont venus ordonner à la propriétaire d'une boutique de fleurs de fermer son magasin, qui ne disposait pas des autorisations administratives
réglementaires. La propriétaire, une femme seule, a préféré
mettre le feu à sa boutique – qui avait été, pendant le siège,
le seul endroit où l'on pouvait trouver des tulipes jaunes
et rouges dans la capitale bosniaque – et mourir dans les
flammes. Toujours sur Sniper Alley, les agents de police ont
commencé à dresser des contraventions pour excès de
vitesse à des automobilistes. Ceux-ci, qui avaient pris l'habitude, pour échapper aux tireurs embusqués pendant la
guerre, de rouler le plus rapidement possible, ont violemment manifesté leur colère. Selon des témoins, plusieurs
altercations ont donné lieu à des arrestations. (*Corresp.*)

Antoine ferma les yeux. Soyons désinvoltes, n'ayons
l'air de rien. S'il réussissait à suffisamment s'oublier, s'il
parvenait à se perdre, peut-être lui serait-il possible d'isoler l'un des innombrables oiseaux et insectes qui habitaient
la chaleur autour de lui. En n'étant plus que son cri,
que son grattage, que sa reptation, il serait délivré de la
conscience, pour ne plus être qu'une activité obstinée.
Peut-être également pourrait-il choisir sa prochaine réincarnation. Georges avait-il eu le temps de faire ça, avant
que la rafale ne le déchiquette? Mais Georges expliquait
qu'on ne choisit pas; Karma et compagnie. Les aborigènes
australiens, eux, disent qu'on retourne au *dream time*, au
temps du rêve. Si Sinisa débarquait là-dedans, ça risquait
de devenir un drôle de cauchemar balkanique. Antoine
rouvrit les yeux et posa le journal sur le sol. Léonce, la
cuisinière, rentrait du marché avec les provisions pour le
repas de midi. Elle fit un sourire à Antoine et entra dans
la maison. Léonce était hutue, de caractère doux, souriante

et très catholique. Elle avait eu deux enfants qu'elle avait perdus, et son mari avait été abattu par l'armée dans un ratissage, il y avait plus de deux ans. Elle faisait partie d'une chorale pastorale, et souvent, quand elle travaillait en cuisine, on pouvait l'entendre fredonner. Elle donnait aussi, bénévolement, des cours de chant aux enfants de l'orphelinat.

La chaleur était palpable, maintenant. À partir d'une certaine température, la chaleur devenait la matière même du temps. Combien de temps avec Michaela, avant que quelque chose ne les rattrape ? Ils pouvaient rester ici encore un an ou deux. Après, ils seraient lessivés. Rentrer en France, se reposer, avant de repartir en mission et rejoindre la caravane du barnum ? Poser les valises, faire des enfants, leurs enfants ? Oui, sûrement. C'est cela qui les délivrerait d'eux-mêmes. Ils trouveraient bien une écluse à garder quelque part. Elle ne lui avait jamais fait le coup de « l'horloge biologique », cette manière d'exiger un enfant qui prend sa source non dans l'amour mais dans l'angoisse ; enfants de la peur aux prénoms à la mode. Michaela n'avait jamais peur, ici, et elle faisait confiance à Antoine. Depuis le premier instant, à « la cave », elle lui avait fait confiance. Antoine se leva pour aller faire le tour du pick-up garé sur le côté de l'entrée. Le bouchon de réservoir n'avait pas été forcé pendant la nuit pour siphonner le gas-oil. Ils avaient un *zamou*, mais, du perron où il dormait sur sa chaise, il ne risquait pas d'entendre un petit voleur de carburant.

Antoine attrapa un chiffon dans la boîte à gants et entreprit de passer un coup sur l'avant. Ils avaient acheté le véhicule d'occasion, et le précédent propriétaire avait laissé sur le capot une sorte de peinture naïve qui représentait des femmes, près d'une rivière ombragée où glissaient des pirogues, portant des calebasses. Au premier plan, des enfants avec le maillot national burundais jouaient au football. Maintenant la peinture était devenue leur drapeau, et elle était connue dans tous les villages alentour.

Michaela et Yannick, le nouveau, revinrent de l'orphelinat. Ils étaient contents. Un programme de travail avait déjà été établi pour les prochains jours. Yannick avait une liste d'achats urgents à effectuer. Il avait en tête d'installer un atelier dans l'une des remises de l'orphelinat, pour l'entretien et les réparations courantes. « Avec un cadenas sur la porte, bien entendu », fit-il avec un clin d'œil. Léonce vint annoncer que le repas de midi était prêt. Ils s'installèrent sur le côté du perron, autour d'une table de jardin. Le ciel commençait à se charger de gros nuages bas. Yannick sortit de sa poche un Opinel muni d'une cordelette. Il devait faire partie de ces types qui ne peuvent manger qu'avec « leur » couteau. Une manie d'ancien scout. Michaela était belle. Elle portait une robe sable très simple, magnifique. Sa peau était dorée. Ses cheveux, depuis son arrivée à Muramvya, avaient beaucoup poussé, et elle les rassemblait avec une chute de tissu à boubou. Elle souriait et racontait que les enfants avaient déjà adopté Yannick, qu'ils appelaient « Anek ». La pluie commença tout doucement, avec de petits tapotements légers sur l'auvent de tôle ondulée, puis de plus en plus fort, jusqu'à faire un vacarme assourdissant. Une odeur de terre et de feuilles mouillées rafraîchit l'air. Ils entendirent quelqu'un courir dans les flaques derrière eux et virent Jean Bosco, l'intendant burundais de l'orphelinat, qui arrivait, trempé et grave.

« Des rescapés viennent d'arriver à l'orphelinat avec des enfants. Il y a un ratissage de l'armée dans les villages autour de Musumba. Beaucoup de morts. Les assaillants aussi ont tiré sur les villageois pour piller vite la nourriture. Il y a des enfants isolés qui se cachent près de l'église de Musumba. Les rescapés disent qu'ils n'ont plus de parents. »

Antoine hocha la tête et s'appuya contre le mur de la maison. La pluie avait creusé des rigoles, de petits ruisseaux, dans l'allée du jardin. Quelle était l'espérance de vie d'un groupe d'enfants pris dans un ratissage ? Il regarda Michaela. Elle lui sourit, et haussa les épaules.

« Il faut aller les chercher maintenant, répondit Antoine.

— C'est très dangereux, monsieur Antoine. Les militaires tirent sur tout le monde, et les assaillants se sauvent en tirant beaucoup aussi.

— C'est pour ça qu'il faut y aller maintenant, Jean Bosco.

— Il faut aller les chercher avant la nuit, mais si nous attendons que les gens armés partent ailleurs, c'est mieux, monsieur Antoine.

— Tu vas rester ici avec Yannick. Nous allons y aller avec Michaela. Nous resterons en contact sur la radio de la voiture. »

Michaela avait approuvé de la tête. Elle souriait toujours. Elle était dans l'axe, miraculeusement. Antoine alla chercher deux K-way et les clés du pick-up. Ils s'habillèrent à la hâte comme des randonneurs surpris par une averse et coururent dans la boue et les flaques jusqu'au véhicule. Yannick était entré dans la maison pour allumer et régler la radio HF. Jean Bosco s'avança sous la pluie jusqu'à l'entrée du jardin et fit un signe de la main à Michaela et Antoine quand la voiture passa devant lui pour s'engager sur la route. Il regarda le pick-up qui s'éloignait en faisant gicler l'eau boueuse sur les bas-côtés, jusqu'à ce qu'il ne fût plus qu'un point imprécis derrière le rideau liquide, et qu'il disparaisse.

Photocomposition *CMB* Graphic
44800 Saint-Herblain
Impression Firmin-Didot
à Mesnil-sur-l'Estrée en janvier 2006
pour le compte des Éditions Calmann-Lévy
31, rue de Fleurus, 75006 Paris

Dépôt légal : janvier 2006
N° d'édition : 14038/01
N° d'imprimeur : 76992

Imprimé en France.